L'AMOUR FOU

FRANÇOISE HARDY

L'AMOUR FOU

roman

ALBIN MICHEL

1

C'était comme si sa route, assez linéaire jusque-là, se transformait en impasse. Elle ne pouvait plus avancer et il n'était, hélas, pas question de revenir en arrière. Comme si son passé, son présent et ses anticipations se brisaient soudain contre un mur aussi imprévu qu'incontournable.

Dans un premier temps, elle s'émerveilla d'avoir à portée de ses yeux une sorte d'apparition magique. Puis, très vite, chaque fois qu'il lui fallait s'éloigner, partir, la sensation d'être privée de quelque chose d'essentiel la coupa en deux. Rien d'autre ne comptait alors que l'espoir du lendemain où, pendant quelques semaines, elle fut assurée d'apercevoir l'objet de sa fascination. L'attente n'en finissait pas avec le sommeil qui tardait de plus en plus. Elle se confondait avec le visage dont les traits l'obsédaient malgré elle. Et quand on rêve éveillé, on a sans doute moins besoin de dormir.

Il était le charme et la grâce à l'état pur. Ceux – supposait-elle – qui la hantaient confusément depuis toujours et qui, tout à coup, devenaient d'une précision plus qu'aveuglante : mortelle. Un incident mineur lui donna l'impression de se trouver face à une sorte de mirage qui ferait basculer sa raison et sa vie, si elle s'avérait assez faible ou naïve pour y croire. X. disparaissait aussi facilement, aussi discrètement, qu'il apparaissait, et la première fois qu'elle en souffrit, elle comprit qu'une sonnette d'alarme venait d'être tirée, signalant simultanément qu'il ne fallait pas aller plus loin et qu'il était déjà trop tard. X. était de ces êtres devant qui toutes les défenses s'effondrent avant qu'on s'en aperçoive, d'autant mieux qu'ils n'ont aucune conscience de leur pouvoir.

*

Leur rencontre avait tenu à des circonstances aléatoires... À si peu de chose au fond... Bien qu'au fil de ses réflexions, elle ait fini par se rendre à l'évidence que l'amour naît à la jonction de la disponibilité latente et d'une rencontre plus ou moins fortuite, se fixant sur la première personne venue, pour peu que ses fêlures présentent une symétrie suffisante avec les vôtres, les thèmes contradictoires de l'inéluctabilité du destin et de l'interchangeabilité de l'être aimé, la plongèrent dans des abîmes de perplexité. Le cours de sa vie aurait-il subi un détournement aussi radical si elle s'était trouvée au même moment dans un autre espace, en compagnie d'autres personnes ? Et comment ne pas se demander devant la séduction, désormais inopérante, de tel ou tel, s'il aurait suffi qu'elle le rencontre dans le même contexte où un hasard apparent l'avait mise en présence de X., pour que ce soit celui-là au lieu de celui-ci qui entre dans sa vie ?

Les symptômes de l'attirance étaient toujours déclenchés chez elle par un charme ambigu et des attitudes correspondantes de distance, de silence et de fuite qui contribuaient d'abord à créer et entretenir le mystère, mais révélaient immanquablement ensuite une profonde ambivalence vis-à-vis de l'amour et de ses perditions. Il suffisait d'ailleurs qu'elle ressente un trouble quelconque à la vue d'un inconnu, pour être presque certaine que cette ambivalence le fragilisait et que toute relation avec lui serait équivoque, chaotique, dévastatrice...

Quelles qu'aient été les différences de circonstances et de partenaires, sa propre incomplétude lui dictait un comportement qui lui valait toujours la même histoire amoureuse. Curieusement, elle ne se lassait guère de cette monotonie-là, en redemandant encore et encore, comme une aliénée dont la folie, loin d'être un handicap, donnerait à sa vie son seul intérêt possible.

*

Dans un premier temps, l'état amoureux exerçait sur elle un effet paralysant, aggravé par l'impression que son trouble se voyait comme le nez au milieu de la figure. De fait, raidie par la nécessité de ne rien laisser transparaître de ses émotions, elle ne se rendait pas compte qu'elle accentuait ainsi l'apparence tantôt glaciale, tantôt forcée ou fantasque, que d'aucuns lui reprochaient. Il ne lui venait pas à l'esprit non plus que la distance marquée par celui qui la déstabilisait sans le savoir pouvait être due aux mêmes raisons que la sienne. Elle posait la réciprocité comme exclue et, tout en sachant que l'excès de froideur peut masquer l'excès inverse, interprétait d'emblée celle de l'autre à son égard, comme une indifférence, voire une hostilité, qu'elle croyait d'autant mieux comprendre, qu'elle-même ressentait l'intérêt plus qu'amical qu'il arrivait qu'on lui témoigne comme une intrusion insupportable, dès lors qu'elle ne l'éprouvait pas en retour.

*

Le physique singulier de X. – intéressant pour les uns, anodin, voire ingrat, pour les autres – ainsi que sa propension à l'effacement pouvaient le faire passer inaperçu, si bien qu'elle ne lui prêta guère attention les premières fois qu'ils se croisèrent. Elle ne manquerait pas de s'en étonner par la suite. Comment n'avait-elle pas immédiatement perçu l'importance qu'il aurait pour elle ? Assez vite cependant, elle devint sensible au charme, fait d'extrême réserve et d'élégance désinvolte, qui rendait X. si différent des hommes qu'elle connaissait. Mais il fallut qu'on la mette au courant de l'une de ses failles secrètes, pour qu'il devienne en quelque sorte accessible à ses sentiments et qu'en un éclair anéantissant, elle s'aperçoive qu'il lui était devenu indispensable, que rien ne serait plus jamais simple, plus jamais comme avant. La découverte de cette faille avait-elle été la goutte d'eau nécessaire pour que son attirance bascule vers l'amour, ou le bouleversement ressenti à son annonce n'avait-il été aussi violent que parce qu'elle était déjà éprise et en prenait conscience de cette étrange et brutale façon ?

*

Malgré son défaitisme, elle guetta d'abord un signe qui la renseigne sur ce que X. éprouvait pour elle – ne serait-ce qu'un minimum de sympathie –, mais il était extraordinairement inexpressif et impersonnel. Elle se dit que cette attitude qui ne donnait prise à personne ne pouvait que susciter la curiosité qu'elle semblait justement vouloir éviter. Quelque chose suggérait des tendances autistes chez X., et l'idée l'effleura qu'il était peut-être plus apte à se laisser aimer qu'à aimer. Au prix d'un effort confinant à l'audace, elle tenta quelques questions banales sur ses projets, ses ambitions, dans l'espoir de commencer à briser la glace qu'il mettait entre elle et lui, lui et les autres, mais ses réponses un peu trop succinctes et polies entretenaient finalement la distance et n'incitaient guère à aller plus loin. Elle s'était complu, depuis, à voir en lui un animal sauvage, et aurait vendu son âme au diable pour l'apprivoiser.

*

Le surprenant un jour assis à l'écart, la tête entre les mains, et se sentant fondre à cette vue, elle s'enhardit à s'approcher de lui, mais ne sut que bredouiller un banal « Ça ne va pas ? ». Il se ressaisit aussitôt, prétextant une vague fatigue. La violence de l'amour qu'il lui inspirait, exacerbé par la certitude de son impossibilité, lui donna alors envie de pleurer et elle s'éclipsa.

Une autre fois, alors qu'elle se trouvait dans la voiture d'un ami, elle l'aperçut dans la rue. L'expression sans joie, assez étrange et indéfinissable qu'elle crut lire sur son visage, lui fit entrevoir l'immensité d'une solitude qu'elle ressentit – sans doute parce qu'elle l'aimait – plus poignante, plus pathétique chez lui que chez toute autre personne de sa

connaissance. Là encore, son impuissance l'accabla.
Que n'eût-elle fait pour lui rendre la vie plus belle,
plus douce ? Une partie d'elle ne cessait cependant
de la mettre en garde, lui soufflant qu'elle pouvait
se tromper, que ce qu'elle imaginait à partir d'une
apparence avait sans doute plus de rapport avec sa
réalité à elle, qu'avec sa réalité à lui.

Il arriva qu'il doive l'informer de tel ou tel détail
et que leurs regards se croisent par la force des
choses. Le trouble que cet échange anodin provo-
qua chez elle fut si grand, qu'elle y vit avec effroi
l'impossibilité de se libérer de son emprise avant
longtemps.

Quand, en ces rares occasions, il lui souriait, le
contraste entre sa froideur habituelle et l'impression saisissante qu'il donnait soudain d'être totalement désarmé, totalement offert, était tel, qu'elle
aurait aimé savoir s'il trahissait là une vulnérabilité
dont il cherchait à se défendre, la plupart du temps,
en la cachant derrière son masque d'imperméabi-
lité, ou si, contre toute attente, il lui manifestait,
consciemment ou non, une confiance à elle spécia-
lement destinée…

*

Au début, devant la difficulté où les mettaient leurs inhibitions respectives à communiquer, elle tenta un jeu qui requérait une habileté et une maîtrise dont elle était dépourvue : capter son regard devint son seul but, le seul sel de ses journées. Mais lorsqu'elle y parvenait, elle ignorait si elle le devait au hasard ou au fait que X. comprenait son jeu et y entrait sur la pointe des pieds, par curiosité ou pour une meilleure raison. À certains moments pourtant, elle crut sentir une réciprocité qui la transporta, mais, très vite, la crainte de prendre ses désirs pour des réalités l'obligea à redescendre sur la terre noire et branlante de ses doutes.

Peut-être à cause de la qualité d'absence très particulière que sa présence recelait et qui empêchait les formes d'échange habituelles, X. était la première personne dont il lui semblait ressentir physiquement les vibrations. Il dégageait quelque chose de léger, non au sens de futile, mais de pur, de subtil, à l'effet apaisant, qu'elle sentait lorsqu'il se déplaçait par exemple. Un après-midi où elle somnolait, désespérant de l'apercevoir ce jour-là, elle éprouva brusquement la sensation inédite d'un courant agréablement chaud et irradiant qui lui fit ouvrir les yeux pour le voir arriver. Mais il repartit aussitôt, la laissant dans un désarroi qu'il devait être à mille lieues de soupçonner.

*

Elle ignorait tout de sa vie. Déchaînait-il autour de lui, sans le vouloir, sans le savoir, des passions aussi ravageuses que celle qu'elle éprouvait à son égard ? Et lui ? Qui le faisait courir ? Que fallait-il pour le troubler, susciter son intérêt et, mieux encore, son désir ? Était-il amoureux ? Partageait-il la vie de quelqu'un ? Curieusement, ces questions obsédantes la tourmentaient moins que la pensée qu'il n'avait pas encore rencontré la femme de sa vie, qu'elle existait quelque part, et qu'à leur insu, tous deux marchaient déjà l'un vers l'autre... Elle se faisait avec cette femme anticipée, qui surgirait tôt ou tard et, en aucun cas, ne pourrait être elle, un mal à la limite du supportable, la parant de tout ce qu'elle n'avait jamais eu et n'aurait jamais : lui d'abord et finalement... Lui surtout.

Alors, pour atténuer la souffrance, elle s'accrochait au moindre détail susceptible de lézarder un jour les murs de la prison où l'enfermait sa fascination. Il n'est pas de physique sans défaut, et celui de X., lorsqu'on l'observait avec attention et sans indulgence, indiquait, de-ci de-là, imperceptiblement encore, quelque chose d'un peu mou suggérant de quelle façon, s'il n'y prenait garde, il vieillirait mal, et trahissant peut-être aussi des traits de caractère inquiétants : la passivité, le laisser-aller, le relâchement... Elle oubliait que ce sont précisément ces défauts-là qui, loin de le refroidir, embrasent au contraire le cœur du passionné lorsqu'il a été harponné.

Mais le plus difficile n'était ni ses questions sans réponse, ni ses efforts pour que rien ne transparaisse de ses orages intérieurs. Elle allait partir et n'aurait pas l'occasion de le revoir. Or, ses rares contacts avec X. lui étaient devenus si nécessaires, que la certitude d'en être bientôt privée la terrifiait. Rien dans son attitude à lui, en revanche, ne laissait supposer que cette perspective lui fît un effet quelconque. Le jour venu, elle se dirigea vers la table où il déjeunait avec d'autres et l'informa de son départ.

Marquant un léger étonnement, il se leva et serra gauchement la main qu'elle lui tendait. Un dernier sourire. C'était fini.

*

Dans le taxi qui l'emmenait vers sa solitude, la souffrance qui l'écartelait s'écoula en larmes silencieuses, tandis qu'une litanie de « je t'aime », tout aussi muets, lui martelait la tête. Ses attirances passées se comptaient à peine sur les doigts d'une main et avaient, chaque fois, été rendues problématiques par son incapacité absolue à exprimer ses sentiments à qui les lui inspirait. L'idéalisation inévitable qu'elle en faisait l'incitait à exagérer ses propres carences au point que plus elle aimait, moins elle se sentait « aimable ». Mais si, trop souvent, elle avait eu l'impression paralysante d'être attirée par ce qui lui manquait – le charme, l'ambiguïté, le mystère… –, elle arrivait parfois à imaginer que l'on puisse lui trouver telle ou telle qualité, sans pour autant que la conscience de cette éventualité n'atténue l'inconfort de son autodévalorisation. Inversement, la séduction indéniable de l'autre l'avait toujours empêchée d'envisager qu'elle pût coexister avec un malaise comparable au sien. Aussi, ayant fini par confier sa détresse à un ami, se laissa-t-elle facilement convaincre, lorsque, après avoir fait valoir que rien dans sa façon d'être n'encourageait l'approche, encore moins celle d'un inconnu peut-être aussi intériorisé qu'elle, il lui recommanda vivement de ne pas en rester là. Que risquait-elle ?

Elle ne risquait rien comme elle risquait tout. Rien, puisque X. était de toute façon perdu pour elle. Au cas où, comme elle le supposait, elle lui était indifférente, recevoir une déclaration d'amour ne ferait que le surprendre, l'amuser, éventuellement le flatter. Il jetterait sa lettre au panier et n'y penserait plus. Tout, car si, par extraordinaire, il s'avérait qu'il partageât plus ou moins son attirance, ce qui s'ensuivrait reviendrait à effectuer sans filet un saut périlleux dont elle ne se relèverait pas indemne. Si elle s'en relevait jamais.

Elle comprit qu'elle s'était chaque fois trompée de peur. La peur qu'un aveu de ce genre la rende gênante et ridicule avait toujours été telle, qu'elle en avait occulté celle, autrement plus fondée, de la concrétisation de l'attirance. Sans doute était-ce

19

cette dernière peur, plus souterraine, qui alimentait d'abord ses blocages.

Elle ne disposait que de l'adresse du lieu de passage où ils s'étaient croisés. C'est donc là qu'elle lui écrivit l'envie qu'elle avait de le revoir « en tout mal, tout déshonneur », poussant stupidement le zèle jusqu'à exposer l'ambivalence dans laquelle elle se débattait entre son désir d'exorcisme et la conscience des dangers encourus s'il n'avait pas lieu. Elle mit sa lettre dans la boîte postale comme un naufragé jette une bouteille à la mer, et se sentit légère de l'espoir que son geste venait de faire naître.

*

Il répondit très vite. Folle d'une joie incrédule, en même temps que morte d'appréhension à l'idée que son destin puisse prendre un tournant irréversible, elle contempla longuement l'écriture quelque peu contrainte qui s'étalait sur l'enveloppe, avant de se décider à la décacheter.

Sa lecture lui fit l'effet d'une bombe au point qu'elle songea d'abord à une plaisanterie. Il écrivait qu'il l'avait aimée tout de suite, que, quoi qu'il arrive, il l'aimerait toujours… Il l'appelait son ange, lui demandait de le contacter dès son retour… Il disait : « Ce n'est pas la peine de se pencher longuement sur des termes comme ambivalence, attraction, désir, refus, frustration… Nous connaissons la musique… » Et elle s'émerveillait tant de la sensibilité qu'impliquait cette remarque que du premier rapprochement entre eux suggéré par le « nous ». Alors, elle chassa de son esprit la petite voix qui insinuait que, de même qu'elle avait recherché l'expression la plus mesurée possible pour ne pas l'effrayer avec la démesure de ses sentiments, de même la forme exaltée de son expression à lui était peut-être révélatrice de sentiments moins profonds. Elle fut totalement heureuse. Le miracle le plus inespéré et le plus espéré à la fois se produisait : elle entrait dans sa vie…

2

C'est le cœur au bord de l'explosion qu'elle sonna à sa porte un après-midi. La pièce où elle entra était dans une obscurité presque totale et elle eut l'impression qu'elle venait de le réveiller. Dans sa lettre, il avait justifié ce qu'il appelait «l'incongruité de son attitude vis-à-vis d'elle» par sa difficulté à maîtriser son émotivité. Or, il semblait aussi à l'aise qu'elle était tendue, et l'idée qu'il avait plus qu'elle l'habitude de ce genre de situation lui fit craindre un moment que les choses aillent trop vite. Cette obscurité servait-elle à le protéger lui ou à la rassurer elle? Il avait aussi écrit qu'il tenait à la traiter avec toute la douceur qu'elle méritait... Il alluma une bougie et l'invita à s'asseoir sur le lit où il s'installa lui-même. Sa nonchalance rendait son charme plus troublant encore. Elle avait mal de le regarder comme s'il était trop beau pour être vrai,

trop beau pour qu'elle osât jamais porter la main
sur lui. Elle aurait peur de l'abîmer, de le casser...
Elle se disait que c'était lui qui méritait toute la
douceur du monde. Elle se sentait laide et maladroite. Indigne...

À tour de rôle, ils évoquèrent les difficultés qui
les attendaient, les impossibilités qui les limite-
raient, tant et si bien qu'elle suggéra en riant qu'il
valait peut-être mieux en rester là. Il ne pouvait
pas, affirma-t-il en baissant la tête, et elle éprouva
le même émerveillement à l'entendre, la même difficulté à le croire, que lorsqu'elle avait lu sa lettre.
Elle non plus ne pouvait pas, ne pourrait pas lui
résister. Jamais.

*

Elle prit congé et il la précéda en voiture pour
l'aider à retrouver son chemin. En le doublant, elle
fut à nouveau frappée par l'expression incertaine et
presque éteinte de son visage. Traduisait-elle une
simple fatigue ou des soucis qu'elle ignorait, ou
encore une tristesse à la voir s'en aller, une inquiétude, un défaitisme quant à la suite de leur rela-

tion ? De son côté, elle sentait monter la vieille douleur, la vieille angoisse de séparation. Elle accéléra.

*

Il téléphona le surlendemain. D'une voix sans
timbre, il exprima des réticences qu'interprétant
dans la continuité de sa lettre et de leur premier
rendez-vous, elle prit pour un besoin de réassurance qui la réjouit. Bien plus tard, en essayant de se
remémorer ce qu'il avait dit alors, elle se demanda
si un évènement ou une réflexion ne l'avaient pas
perturbé entre-temps et incité, d'ores et déjà, à se
dégager d'elle. Se méprenant peut-être sur ses
intentions, elle dit ce qu'elle croyait qu'il atten-
dait. Ils convinrent d'un rendez-vous.

Depuis la minute où elle avait su qu'elle l'aimait,
elle avait désespérément rêvé d'une intimité avec
lui, se la figurant inaccessible. Maintenant que ce
moment de vérité tant souhaité approchait, elle
éprouvait un mélange d'exaltation et de peur : peur
de lui qu'elle connaissait si peu, de son regard, de
son attente… Peur d'elle, de ses insuffisances…
Son expérience limitée des hommes lui faisait

considérer l'entrée dans l'intimité physique de l'un d'eux comme une épreuve aussi effrayante que celle de se jeter à l'eau sans savoir nager.

*

Jusque-là, elle n'avait jamais été à même de prendre l'initiative, mais quand elle se rendit compte qu'il ne la prendrait pas non plus, elle fut surprise de la facilité avec laquelle elle mit sa main dans la sienne, demanda ensuite s'il pouvait baisser la lumière, ôter ce qu'il avait sur lui, ainsi que de la confiance presque enfantine avec laquelle il répondit dans un souffle qu'il voulait tout ce qu'elle voulait.

Il était délicieusement tendre et avait juste ce qu'il fallait de maladresse pour la bouleverser encore plus qu'elle ne l'était déjà, de l'avoir ainsi à portée de ses baisers et de ses caresses. Elle aurait tout donné pour le rendre heureux, non à des fins captatrices, mais parce que, confusément, elle avait l'intuition déchirante qu'il était aussi peu doué qu'elle pour le bonheur.

Quand elle le revit, il demanda si cela la dérangeait qu'il lui dise qu'il l'aime, et elle fixa ce moment

comme l'un des plus heureux de sa vie. Puis, prenant sa déclaration pour une sorte de feu vert, elle
se crut autorisée à dire à son tour ces mots qu'elle
ne cessait de se répéter depuis des semaines en pen-
sant à lui. Très bas, il murmura alors qu'il ne fallait
pas qu'elle l'aime, qu'il ne le méritait pas, et un
pressentiment lui serra le cœur. Au lieu de supposer
qu'il était aussi porté qu'elle à se déprécier, elle
comprit qu'il la mettait, gentiment, comme malgré
lui, en garde : elle ne devait pas s'attacher à lui.

*

Ils se revirent encore. Son désir de lui était tel,
ainsi que ce courant magnétique si étrange qu'elle
avait déjà cru sentir circuler entre eux, qu'il avait à
peine besoin de la toucher pour qu'elle éprouve des
sensations intenses. Dans ces moments privilégiés,
elle ne savait que répéter : « J'ai envie de toi et pas
seulement, pas seulement… » et il riait en assurant
que c'était très bien déjà qu'elle ait envie de lui, que
ça lui suffisait… Elle savait qu'il faut du temps pour
se découvrir l'un l'autre et arriver à être aussi bien
ensemble que possible mais, peut-être parce qu'elle
craignait de le perdre trop vite, elle aurait voulu

tout connaître déjà et, si besoin était, lui révéler de ses particularités, pour qu'au moins son plaisir à lui parvienne à son sommet. Le sentir et le regarder s'y abandonner la bouleversait. Jamais elle ne s'en lasserait, pensait-elle avec un désespoir qui la faisait le serrer trop fort dans ses bras quand il revenait à lui.

*

L'amour lui paraissait une cause perdue et son fatalisme culminait quant à ses propres chances de réciprocité durable dans ce domaine. Elle s'avérait donc exagérément attentive aux premiers signes annonciateurs de l'inéluctable faillite, ignorant si ceux qu'elle croyait détecter relevaient de sa lucidité ou d'une forme spéciale de paranoïa.

Elle dut partir pour l'étranger et ils convinrent d'un rendez-vous téléphonique. Le bruit qui régnait dans le lieu public où elle se trouvait rendit malaisée une communication qui avait été difficile à obtenir. Il était fatigué et allait se coucher. Elle raccrocha avec un sentiment de frustration que, pendant le long trajet dans la voiture qui l'amenait à son hôtel, elle chercha à compenser en se berçant avec l'idée de le rappeler dès son arrivée. Bien qu'il eût assuré plusieurs fois qu'elle pouvait téléphoner à n'importe quelle heure, la peur habituelle de déranger, en l'occurrence de le réveiller, et celle plus ambiguë qu'il se méprenne sur ses intentions et la croie envahissante et indiscrète, la retenaient pourtant. Il était très tard quand, après avoir, non sans mal, surmonté ses scrupules, elle composa, le cœur battant, son numéro qui resta sans réponse. Au pincement douloureux et à la tristesse diffuse qu'elle ressentit, elle se dit qu'elle venait probablement d'effectuer le premier pas sur une descente qu'elle ne connaissait que trop.

*

Peu après, il annonça qu'il devait quitter la ville. Ce ne fut pas tant la nouvelle de son départ que le ton dégagé sur lequel il l'en informa qui la blessa. Il était dé-so-lé, prétendait-il avec une commisération telle, qu'elle répliqua sèchement : « Désolé pour qui ? » « Pour toi, pour moi ! » répondit-il, effrayé par son changement de ton. Un jour où il aurait dû être absent, elle eut l'intuition qu'il n'était pas parti et téléphona sur une impulsion subite. Il était là.

Son départ avait été retardé. Qu'il n'ait pas éprouvé le besoin de la voir ni même de l'appeler pour l'en avertir la précipita dans un abîme d'appréhensions et de doutes qui renforcèrent son impression que le compte à rebours avait commencé.

Bien qu'il semblât toujours aussi heureux de la retrouver, elle ne résista pas à la tentation de demander ce qu'elle était pour lui. Le « une maîtresse » qu'elle obtint comme réponse la blessa – et bien davantage le « une » que le « maîtresse » –, car il n'était pas « un » amant pour elle, mais son amour. Il était celui qui avait sur elle, qu'il le veuille ou non, le plus grand pouvoir de bonheur et de malheur. Il s'excusa de son incapacité à parler de ses sentiments, et elle s'en voulut de sa susceptibilité, puisque aucun des quelques hommes qu'elle avait aimés avant lui n'avait su parler de ses sentiments et que c'était précisément ce que ce mutisme sous-tendait de pudeur, d'ambivalence, ainsi que l'insaisissabilité en résultant, qui l'attirait.

Comme elle se plaignait de ne pas le voir assez, il dit, avec cette extrême douceur de la voix et du regard qui faisait une partie de son charme, qu'il ne pouvait ni ne souhaitait la voir davantage. Gentiment, avec le sourire, il lui assénait un coup de poignard qui la cloua sur place. Maîtrisant mal son émotion, elle suggéra que s'il était une plus grande priorité pour elle, qu'elle pour lui, mieux valait arrêter là. Qu'elle ne se rende pas compte de la réciprocité entre eux lorsqu'ils étaient ensemble prouvait que quelque chose n'allait pas chez elle, s'insurgea-t-il avant d'invoquer ses difficultés, son instabilité, son inaptitude à prévoir, planifier, et de conclure que si leur relation lui posait à elle trop de problèmes, il était peut-être préférable, en effet, d'en rester là. Il fallait le prendre au mot. La porte du malheur s'ouvrait plus béante que jamais, il suffisait d'un petit effort pour ne pas se laisser happer et éviter le pire, mais elle en franchit le seuil sans hésiter, en déclarant d'un ton léger qu'elle le verrait aussi longtemps qu'il en manifesterait l'envie. Ils se quittèrent gaîment et ce ne fut qu'une fois seule dans sa voiture qu'elle s'effondra.

*

Sa ponctualité vis-à-vis de lui était d'autant plus exemplaire qu'elle ne voulait pas perdre une minute du temps compté qu'il lui accordait. Un jour pourtant, elle décida d'avoir une demi-heure de retard dans l'espoir de l'affecter. L'impatience qui l'agitait chaque fois qu'elle était sur le point de le voir redoubla. Aussi eut-elle l'impression que son cœur allait cesser de battre, lorsque après avoir sonné à sa porte, elle se rendit compte qu'il n'était pas là. La pensée qu'il ne viendrait pas et qu'elle serait privée de ces instants qui étaient tout pour elle lui causa un choc indicible. Ne sachant que faire, elle s'assit par terre. Au bout d'un moment où les minutes avaient passé comme des heures, elle se décida à partir et gagna l'ascenseur la mort dans l'âme. Il en sortait. L'air inquiet et étonné, il commença à se justifier de ce qu'il présentait comme un malentendu. Mais elle ne l'écoutait guère, tant sa grâce retrouvée la plongeait dans le trouble et le ravissement.

*

Il la prévint qu'il aurait à s'absenter plusieurs semaines et cette perspective l'angoissa car elle savait qu'elle souffrirait d'autant plus de devoir se passer de lui, qu'elle craignait déjà que l'issue d'une aussi longue séparation soit fatale. Quelques minutes avant l'heure prévue pour leur dernier rendez-vous, il téléphona qu'il serait très en retard. Cette désinvolture lui fit si mal, qu'elle ne put s'empêcher de durcir le ton. « Qu'est-ce qui ne va pas ? » s'enquit-il. « Mais c'est peut-être la dernière fois qu'on se voit ! » s'écria-t-elle, excédée. L'étonnement qu'il manifesta à cette idée de dernière fois la rasséréna en partie et quand il se mit en devoir d'expliquer avec beaucoup de patience qu'il avait ses problèmes et que s'il prenait la peine de venir, cela prouvait que c'était important pour lui aussi, elle se sentit comme une petite fille prise en faute. Lorsqu'il arriva et lui sourit, ses restes d'animosité s'envolèrent. Il y avait de l'angélisme en lui. Comment en vouloir à un ange, surtout si son seul tort est de vous aimer moins ou autrement qu'on l'aime ?

Le bonheur toujours renouvelé qu'elle éprouvait à l'avoir près d'elle, à le regarder, à l'embrasser, fut assombri par la perspective de son départ. Lui, par contre, semblait insouciant de l'avenir. Cette séparation, assura-t-il avec une décontraction apparente qui l'alarma, était une bonne chose, en ce qu'elle permettrait de prendre la mesure de leurs

sentiments. Il était sans domicile fixe et elle suppor-
tait mal de n'avoir aucun moyen de le contacter,
aucun endroit où lui écrire. Il dicta une adresse où
il passerait de temps à autre. Au moment de partir,
il la serra dans ses bras et elle ferma les yeux.
Quand elle les rouvrit, elle constata qu'il avait les
siens encore fermés. Jamais elle n'avait trouvé chez
quelqu'un un mélange aussi parfait de force et de
fragilité, une absence aussi totale de vulgarité. Dès
la première minute, elle avait eu la certitude que le
privilège de pouvoir l'aimer lui coûterait très cher.
Il était merveilleusement rare, il était sans prix et
– signe particulier qui le rendait plus précieux
encore – il ne le savait pas.

3

Elle vécut mal sa solitude, oscillant sans cesse entre l'espoir d'un signe de vie et le désespoir de n'en pas recevoir. Indifférente au quotidien qu'elle meublait comme un automate, elle s'endormait et s'éveillait avec le nom, le visage de X. et un flot ininterrompu de mots d'amour dans la tête. Son obsession interposait entre l'extérieur et elle un mur que rien ne pouvait franchir, en dehors de ce qui s'y rapportait de près ou de loin.

Il écrivit peu après son retour, une lettre ambiguë qui relança à la fois ses espoirs et ses craintes. Il affirmait que son amour pour elle était le même, mais parlait de souffrance assurée s'ils ne changeaient pas leur mode de relation, trop absolu selon lui. Ce changement qui aurait l'avantage de leur permettre de se voir plus souvent, sur un

mode amical n'excluant pas l'intimité, était impératif. Il cesserait de la voir si elle s'y refusait.

La joie qui l'avait envahie après qu'il lui eut
accordé le rendez-vous tant attendu tomba vite
devant l'expression fermée qu'il arborait quand ils
se retrouvèrent face à face. Elle demanda des préci-
sions sur le changement qu'il souhaitait, et il se
lança alors dans un discours dont la confusion finit
par l'impatienter lui-même, mais d'où ressortait
qu'il voulait faire d'elle son amie plus que sa maîtresse. Le château de cartes où, pendant des
semaines, elle avait rêvé de le serrer à nouveau dans
ses bras, s'effondrait. Il se tenait ostensiblement à
distance et parlait avec froideur de l'estime qu'elle
lui inspirait. Elle dut faire un immense effort pour
ne pas sombrer dans le ridicule d'éclater en sanglots devant lui, puis s'enquit de cette souffrance si
inévitable qu'il fallait éviter à tout prix. Elle craignait qu'il se préoccupe davantage de sa souffrance
à elle que de la sienne propre, voyant là une façon
pour lui de se poser en élément fort, protecteur,
au-dessus des passions en général et étranger à celle
qu'il lui inspirait en particulier. Sa propension personnelle à se mettre d'emblée en position d'inferio-

rité et de dépendance l'empêchait d'envisager qu'il
en soit de même pour l'autre. Beaucoup plus tard,
elle se dit qu'à l'inverse de ce qu'elle avait imaginé,
la sollicitude de X. avait pu être l'expression non
de sa condescendance, mais de la hauteur à laquelle
il la situait, et de tendances analogues aux siennes,
à se démettre de lui-même, s'en remettre à l'autre,
se soumettre à ses humeurs, velléités, désirs...
Aussi, en se remémorant la scène, en vint-elle à se
demander si l'attitude butée et presque hostile de
X. à son égard n'avait pas été le signe de l'emprise
qu'elle exerçait encore sur lui et dont il cherchait à
se défaire parce qu'il se croyait plus faible qu'elle.
Aurait-il été autant sur la défensive s'il l'avait sentie
sans danger pour lui ?

Elle fit valoir que la souffrance est inhérente à
l'amour et que si on la refuse, on se coupe de
l'amour, de la vie et, au bout du compte, de soi-
même et de ses possibilités créatrices. Mais pendant qu'elle discourait ainsi, elle se demandait où
était la force, où était la faiblesse. Elle se croyait
faible parce qu'elle voyait dans son besoin irrépres-
sible de vivre son amour l'inaptitude à maîtriser des
pulsions qui la dépassaient. Elle imaginait que,

contrairement à elle, X. avait la force d'écouter la voix de la raison lorsqu'elle soufflait qu'une attirance ne menait nulle part ou trop loin. Dans cette optique, elle était folle et il était sage. Et si c'était le contraire ? Si la force consistait à courir le risque de vivre sa passion, et la faiblesse à en redouter les dangers au point de se replier frileusement sur soi ou sur une relation moins intense ? Il fallait évidemment compter avec l'importance des pulsions et de ce qui les activait. Les pulsions de X. étaient peut-être moins fortes que les siennes et plus faciles à endiguer ? Sans doute renonçait-il à elle parce qu'il était moins attiré par elle, qu'elle par lui… Peut-être encore étaient-ils aussi faibles l'un que l'autre, les modalités seules de leur faiblesse différant : il y avait chez elle un manque et chez lui un excès de freins…

Il esquiva ses tentatives de rapprochement. Elle aurait dû montrer un détachement supérieur au sien, mais son émotivité excessive l'empêchait d'utiliser les règles du jeu amoureux à son profit. Qu'aurait d'ailleurs valu un succès dû à ce genre de manipulation ? Naïvement, elle abattit ses cartes. Elle avait tant espéré ce moment qu'il ne pouvait la repousser ainsi. Avec véhémence, il déclara soudain tenir d'autant moins à un rapprochement physique qu'il se savait insuffisamment maître de lui quand il n'en ressentait pas le besoin. Dans l'incapacité où elle était de penser à autre chose qu'à l'impasse de sa situation de condamnée sans appel, elle ne releva pas sur le moment l'étrangeté de ses propos. Diverses suppositions s'entrechoquaient dans sa tête. Quelqu'un, quelque chose l'avait dressé contre elle. Ou bien elle avait commis une faute grave. Ou, plus vraisemblablement, il ne l'aimait plus. Elle continuait de lutter pour ne pas laisser transparaître son désespoir, mais elle sentait ses forces l'abandonner et se demandait avec terreur comment affronter les prochaines heures, les prochains jours et le reste de sa vie désormais.

*

C'est alors qu'il s'allongea sur le lit, dans une position à l'attentisme de laquelle elle n'osa croire. Timidement, elle s'approcha de lui et entreprit du bout des doigts les caresses qu'il préférait. Il se laissait faire, les yeux fermés. Elle voulait qu'ils s'aiment le plus doucement, le plus lentement possible, murmura-t-elle éperdue quand il fut sur elle. Mais le glas qu'il avait fait sonner la privait d'une partie de ses moyens et l'empêcha de contribuer à faire de ce moment ce qu'elle avait trop rêvé qu'il fût.

Avait-il des regrets ? questionna-t-elle lorsque ce fut fini. Il ne répondit pas. Détournant la tête pour cacher les larmes qui lui montaient aux yeux, elle dit qu'au cas où cette fois serait la dernière, elle tenait à ce qu'il sache que les moments passés avec lui compteraient parmi les plus beaux de sa vie.

Elle s'enhardit ensuite à demander si la peur de souffrir à cause d'elle faisait partie des raisons qui le retenaient. « Mais toi tu es bonne ! » s'exclama-t-il d'une voix où elle crut percevoir autant d'exaspération que de détresse. Elle se mit alors à envier douloureusement la dureté et l'opacité qui rendent certaines femmes bien plus attirantes que la docilité et la transparence qu'elle s'attribuait, et auxquelles elle supposa qu'il faisait allusion.

Et puis ce fut comme si les mystérieuses raisons qui avaient motivé les refus de X. avaient disparu.

Il redevenait spontané, confiant, espiègle même. Elle retrouvait la confondante limpidité de son regard et de son sourire. Au moment de partir, sa défensive têtue semblant complètement tombée, il s'enquit sur un ton désemparé et joyeux à la fois de la marche à suivre et, se souvenant qu'elle n'avait aucun moyen de le joindre, promit de l'appeler. Elle ne douta pas de sa sincérité, sentant que telle était son intention. Du moins à cet instant précis, puisqu'il ne tint pas sa promesse.

*

Qu'y a-t-il de pire ? Attendre jour après jour, nuit après nuit, un signe qui ne vient jamais, ou ne plus rien attendre parce que c'est fini ? Tout insupportable qu'elle soit, l'épreuve du doute interminable lui sembla préférable à celle de la certitude assassine, dans la mesure où elle laisse encore place à l'espoir. Elle s'en découvrit des réserves insoupçonnées. Des mois durant, il n'y eut pas un matin où elle ne s'éveilla sans espérer qu'une lettre ou un coup de fil viendraient rétablir le courant interrompu. Après s'être demandé si son pessimisme inné n'était pas de l'optimisme déguisé, elle réalisa peu à peu qu'il s'agissait d'instinct de survie. Elle s'accrochait à son espoir, parce que seul son espoir lui permettait de tenir debout.

Et puis, alors qu'elle avait toujours prôné la rigueur et placé la lucidité à une hauteur qui trahissait la complaisance avec laquelle elle s'en dotait, elle prit soudain conscience de son besoin vital d'illusion et de la déformation qu'il imprimait à sa vision d'elle-même et des autres. Elle se reprocha sa subjectivité et, comme il arrive lorsqu'on est porté aux extrêmes, se surprit à vanter exagérément les vertus du mensonge, dont d'habitude elle dénonçait sans pitié ni nuance les effets pervers, car elle mesurait pour la première fois le pouvoir de mort de la vérité qui ferme la porte à l'espoir, et celui de résurrection ou de maintien en vie de l'illusion qui la laisse ouverte.

*

« Peut-être nous détesterons-nous un jour... », avait plaisanté X. au temps béni où il donnait l'impression d'être à elle autant qu'elle était à lui. Mais elle n'eut à aucun moment la réaction de lui en vouloir de ce qui ressemblait à de la lâcheté. On n'est jamais totalement innocent de ce qui vous arrive, et ce n'était pas la première fois qu'après des débuts d'apparente réciprocité, l'autre se rétractait sans raison claire pour disparaître ensuite un certain temps. Confusément, elle pressentait que cette disparition avait à voir avec la force excessive de ses sentiments, quelque mal qu'elle se donne pour la retenir et la cacher. Mais l'autre la fuyait-il par peur de se perdre lui-même, à cause de la menace d'envahissement et de dépossession de soi que cette force représentait, ou par peur de la perdre elle, parce qu'il se jugeait trop en dessous de l'idée qu'elle se faisait de lui ?

Inversant l'angle de vision, elle s'appesantit sur ce que son attirance pour des hommes enclins à l'absence révélait de ses ambivalences personnelles. Elle souhaitait la présence de qui elle aimait mais la redoutait pareillement, en ce qu'elle impliquait la banalisation de la sienne. Jusqu'à quel point la fuite de l'autre n'empêchait-elle pas sa fuite à elle ? Probablement n'existait-il pas d'alternative plus simple pour échapper aux démystifications extinctives de la promiscuité, et préserver ainsi la part de fantasme et d'intensité qui donnait à sa vie tout son prix.

*

Dans les moments où elle envisageait la volatilisation de X. comme une façon d'éviter une partie pour laquelle il ne se serait pas senti de taille, elle rêvait de remonter le cours du temps et de se trouver à nouveau dans ses bras lorsqu'il murmurait qu'il ne méritait pas qu'elle l'aime, afin de lui expliquer que l'amour est plus simple et plus compliqué qu'une affaire de mérite. L'attirance qu'ils avaient ressentie simultanément l'un pour l'autre prouvait qu'il possédait les pièces qui manquaient au puzzle composant sa personnalité à elle, dans les mêmes proportions qu'elle disposait de celles qui lui faisaient défaut à lui.

Comment X. aurait-il imaginé que sa seule présence la comblait ? Surtout, comment aurait-il pu s'en suffire ? Elle allait jusqu'à penser que sa vie n'avait valu d'être vécue que pour le privilège de le contempler, le désirer et connaître cette parfaite plénitude du cœur et du corps qu'elle avait éprouvée avec lui, et tenait pour ce qu'il y a de plus précieux, de plus beau au monde, même si, tel le

ver à l'intérieur du fruit, s'y était glissée, dès le premier instant, l'angoisse déchirante de la mort lente
qui la détruirait quand elle en serait privée. Et
maintenant qu'elle n'avait plus que ses souvenirs et
un espoir que rien ne relançait en dehors de la force
de son besoin, elle entrevoyait avec désolation que
la séduction passive exercée, presque à son insu,
par X. sur elle avait pu lui donner l'impression las-
sante, voire humiliante, d'être une sorte d'homme-
objet.

C'était moins l'apparence physique de X. qui
l'attirait pourtant, que la qualité particulière de sa
lumière. Une lumière douce, discrète, qui diffusait
sans aveugler, bien qu'incertaine encore, comme la
flamme vacillante que le moindre souffle peut soit
renvoyer à l'ombre dont elle émerge à peine, soit
renforcer. Il avait dû naître à l'aube ou au crépus-
cule, non en plein midi. Dans quel terrain vague ?
Fruit de quels hasards ? Il paraissait sans racines,
aussi peu concerné par lui-même que par les autres,
entre incarnation et évanescence, mouvement et
immobilité. Il ne fallait pas s'en approcher trop
près, ni s'en éloigner trop loin, pour qu'il ne parte
pas en fumée...

Mais peut-être X. dramatisait-il la disproportion entre sa beauté extérieure, encore intacte, et ce qu'il savait ou imaginait des failles qu'elle recouvrait forcément, au point de méconnaître la beauté intérieure qui l'animait et sans laquelle une apparence, si agréable soit-elle, ne retient guère l'attention. Il oubliait sans doute aussi que toute qualité appelle un défaut, de même que la lumière est indissociable de l'ombre, celle-ci étant nécessaire à celle-là pour la mettre en valeur et créer les contrastes d'un paysage qui, autrement, serait tristement uniforme.

L'ambiguïté qui l'attirait chez lui, associant à parts égales le masculin et le féminin, la force de l'âge adulte et la fragilité d'une adolescence encore prégnante, faisait vibrer idéalement les diverses fibres dont était tissée sa propre ambiguïté. X. lui inspirait le désir autant que la tendresse, il l'impressionnait autant qu'il l'émouvait. Elle voyait en lui aussi bien l'homme qui la troublait, que l'enfant qu'elle avait envie de protéger. Peut-être l'enfant lui permettait-il de contourner une peur du sexe opposé qu'elle ne s'avouait guère, mais il lui semblait qu'elle en avait d'abord besoin pour mieux se laisser aller au fond d'ingénuité qui subsistait également en elle.

*

Dès qu'elle se trouvait isolée, le soir dans sa chambre ou le jour dans sa voiture par exemple, elle se laissait submerger par des flots de souvenirs et de fantasmes. Tandis qu'elle circulait dans la botte de foin qu'est une grande ville, elle ne pouvait s'empêcher de nourrir des rêves insensés. Peut-être s'était-il garé non loin de l'un des endroits où elle se rendait, peut-être allait-il brusquement surgir devant elle ? Un jour qu'elle était arrivée en avance à un déjeuner, elle vit par la baie vitrée du restaurant une silhouette qui, de dos, ressemblait à la sienne et se sentit tellement défaillir, que l'éventualité qu'elle souhaitait par-dessus tout : le rencontrer à l'improviste puisque rien d'autre n'était plus possible, la terrifia soudain. Ayant su très vite qu'il s'agissait d'une fausse alerte, elle ne parvint pourtant pas à calmer le tremblement de ses mains ni les battements précipités de son cœur. Dans ces conditions, comment trouverait-elle la force de le revoir, si l'occasion s'en présentait un jour ?

En attendant le sommeil qui résistait de plus en plus à sa fatigue, elle s'adressait à lui sans cesse, prononçant à voix basse tous ces mots d'amour trop puérils, pompeux, galvaudés, pour qu'on ose les dire de vive voix à qui vous les inspire. Parfois, lorsqu'elle monologuait sur l'envie violente qu'elle avait de se serrer à nouveau contre lui, le simple souvenir de leurs moments d'intimité suffisait à déclencher les sensations qui les avaient toujours précédés. Un après-midi, ces sensations l'envahirent de façon inhabituelle. De retour chez elle, elle constata, en entendant la voix de X. sur son répondeur, qu'il avait téléphoné au même moment. L'annonce qu'il essaierait de la rappeler plus tard fit flamber un espoir que les coups de fil qu'elle reçut les jours suivants de tout le monde sauf de lui réduisirent à néant.

Ses sentiments étaient d'une telle intensité, qu'elle se les représenta sous la forme d'un faisceau de vibrations que son cœur aurait projeté en permanence vers celui de X., le détectant où qu'il soit à la façon d'un radar, pour revenir systématiquement la frapper dans un douloureux choc en retour, sa trajectoire ayant été stoppée net au moment d'atteindre son but, par le bouclier qu'il avait dressé entre eux, et dont elle ignorait s'il était fait d'indifférence, de défensive, d'hostilité, ou de tout cela à la fois.

*

Elle prit l'habitude d'écrire de temps à autre à la seule adresse qu'il eût laissée, revenant inlassablement sur tel ou tel mot, telle ou telle phrase, non seulement par peur du malentendu, mais pour faire durer le plaisir de cette façon détournée de se sentir avec lui. Parce qu'elle ne savait rien des états d'âme de X. et se souvenait que, contrairement à elle, il répugnait à les extérioriser, elle craignait de l'ennuyer et l'excéder — au lieu de l'intéresser et l'émouvoir — en allant trop loin dans l'étalage des siens. Aussi hésitait-elle beaucoup avant de poster ses lettres, se mordant les doigts d'avoir succombé à la tentation au moment même où elle venait d'en glisser une dans la boîte, alors que rien ne l'assurait qu'elle parviendrait à destination.

Ses appréhensions étaient aggravées par le regret d'être incapable de répondre au silence par le silence, arme redoutable quand l'indifférence ne règne pas encore, et dont elle avait si souvent constaté l'efficacité sur elle-même, qu'elle s'en voulait de ne pas avoir la force de l'utiliser à son tour pour amener l'objet de ses tourments à sortir de sa réserve. Mais la logique amoureuse lui soufflait que l'autre pouvait être attiré par son discours comme elle l'était par son non-dit. Qu'autant ses propres tendances clarificatrices appelaient pour leur exercice le matériau des doutes que le non-dit de l'autre laissait planer, autant le non-dit de ce dernier aspirait peut-être à la mise en forme qu'elle savait en partie lui donner. Plus important encore, elle pressentait que la nature du défaitisme de l'autre lui ferait interpréter un silence prolongé de sa part à elle, comme la fin obligée et sans équivoque de l'intérêt, plus ou moins incompréhensible à ses yeux, qu'elle lui avait manifesté jusque-là, et ne l'inciterait pas à vouloir en savoir davantage.

*

Elle écrivit une fois de plus – et de trop crut-elle, dans sa crainte d'un forçage irritant alors que tout suggérait qu'elle aurait dû décrocher depuis longtemps déjà –, pour évoquer sa détresse et demander à X. s'il avait ou non tiré un trait définitif sur leur relation. Elle se sentait comme un cheval malade dont la gravité de l'état exigerait qu'on l'abatte sans délai.

Rien ni personne n'étant en mesure de combler le vide dû à la disparition de X., sa souffrance lui fit penser à celle du drogué en manque. Quelque chose en elle y tenait, car elle était le sang de son amour et la preuve qu'elle-même n'était pas morte, puisqu'elle ne vivait que par et pour lui. Elle s'imaginait naïvement que cet amour serait le dernier et qu'elle en arriverait à regretter les pires moments de son chemin de croix. Peut-être souffrirait-elle un jour de moins souffrir...

4

Les semaines se succédèrent et sa passion continua de la consumer avec la même intensité. Elle aimait pour la vie un marin au long cours et il n'était pas possible qu'après ce qui s'était passé entre eux, il ne revienne pas faire escale un jour du côté de chez elle.

C'est dans un bistro à la mode où une relation de travail l'avait invitée à dîner, qu'elle le revit. Il l'avait repérée le premier et vint lui tendre une main impersonnelle qu'elle serra machinalement, toute à l'éblouissement de sa séduction retrouvée, en même temps que glacée par son inexpressivité absolue. Au bout de quelques secondes d'éternité silencieuse, il lui tourna le dos pour rejoindre à une table voisine une femme dont l'allure provocante et vulgaire jurait tellement à côté de la sienne, fine et racée, qu'elle n'eut d'abord aucune idée de ce qu'ils faisaient ensemble. Elle connaissait cette femme de vue et de réputation. C'était une sorte d'aventurière dont elle avait souvent entendu vanter l'habileté manipulatrice, et qui avait réussi le tour de force de se faire rejeter par la plupart de ceux qui s'étaient laissé prendre quelque temps dans ses filets. Comme dans un cauchemar, elle nota l'attitude déférente et docile de X., ainsi que la main possessive que cette femme, dont les intonations traînantes et le rire bruyant trahissaient un état d'ébriété avancé, avait posée sur son genou, et qui ne laissait planer aucun doute sur la nature de leur relation.

Prétextant un malaise, elle rentra précipitamment chez elle. Il lui semblait toucher l'extrême fond du malheur et de l'incohérence. Elle eut alors l'idée d'appeler le restaurant et de demander à parler à X. Pour la première fois depuis des mois, elle entendit sa voix au bout du fil : une voix blanche où ne perçait pas la moindre pointe d'émotion.

Il avait reçu ses lettres mais n'y avait pas répondu car il n'était pas en mesure de dire qu'il avait tiré

un trait sur leur relation, ni quoi que ce soit de plus
positif allant dans le sens de son attente. Sans doute
n'aurait-il jamais eu l'occasion de lui parler à nouveau, si elle n'avait pris l'initiative de téléphoner.
Mais, suggéra-t-il avec une gentillesse hésitante qui
la foudroya, si vraiment elle était aussi attachée à
lui que ses lettres semblaient le montrer, peut-être
devrait-elle essayer de se détacher... Il allait bien...
Qu'elle ne s'inquiète pas... Oui, il vivait depuis un
certain temps avec la femme qui l'accompagnait...
Il l'avait rencontrée avant elle... On pouvait dire
que, d'une certaine façon, il en était amoureux... Il
importait qu'elle reste dans l'ignorance de ce qui
avait eu lieu entre eux...

Brusquement, une vague d'agressivité balaya son
désespoir et lui fit dire ce qu'il ne fallait pas qu'elle
dise : qu'à moins d'imaginer des raisons peu à son
honneur, personne au monde ne pouvait comprendre ce qu'il faisait avec cette femme. Il se buta
à son tour jusqu'à ce qu'il lâche, comme on se rend,
qu'il était faible. Là encore, elle était trop sous le
coup du bouleversement provoqué par ses déclarations précédentes, pour donner à cet aveu crucial
l'attention qu'il méritait. D'autant qu'au même

instant, une arrivée inopinée dut alarmer X., car il se mit à la vouvoyer et raccrocha.

*

Était-ce bien le même homme qui avait craint de l'importuner en disant qu'il l'aimait, ou écrit qu'elle était primordiale, inéluctable dans le déroulement de sa vie, demandant pardon de la violence des sentiments qu'elle lui inspirait et dont la pérennité ne faisait aucun doute dans son esprit ? Doucement, presque distraitement, à la manière dont on ferme un livre ou dont on éteint une lampe, il venait de l'exécuter, et le bloc d'espoirs, de rêves, de chimères qui, des mois durant, l'avait nourrie et soutenue, explosait soudain en mille morceaux, la transperçant de part en part comme autant d'éclats de verre.

Elle ne dormit pas de la nuit. Les affres de la jalousie ne lui étaient pas étrangères, mais elle n'avait éprouvé jusqu'alors que la souffrance de devoir s'incliner devant l'attrait indéniable de rivales supposées ou réelles ; jamais encore celle de la situation beaucoup plus déstabilisante d'être quittée pour une femme à ce point dépourvue de ce qu'elle entendait par séduction, qu'il ne lui serait pas venu à l'esprit qu'elle pût intéresser, si peu que ce soit, l'homme de sa vie. Car elle savait bien que le chagrin et l'émotion ne l'aveuglaient pas complètement, que ce qui émanait de cette femme n'était pas rédhibitoire que pour elle. Car elle se souvenait avec suffisamment de précision des confidences teintées de mépris auxquelles elle avait jusque-là prêté une oreille distraite ou amusée, que tel ou tel lui avait faites sur l'absence de scrupules d'une femme le plus souvent dépeinte comme une mante religieuse, et dont elle avait surtout retenu qu'elle était douée pour tromper et vampiriser son monde.

L'apparente absurdité de la situation lui donna d'abord l'impression d'une erreur de casting portant atteinte à la crédibilité du film, au point qu'il en perdait tout intérêt ou presque. Elle envisageait plus volontiers cependant que X. se trompe sur sa maîtresse plutôt qu'elle-même sur X. Qu'il soit lié à une telle femme prouvait son aveuglement... Tôt ou tard, l'accumulation des faux pas dont elle était spécialiste l'inciterait à la fuir, comme tous ceux qui l'avaient précédé.

Et pourtant, si l'on mettait de côté le phénomène d'attraction des contraires, illustré de façon
caricaturale par X. et son étrange compagne, il fallait bien que cette dernière soit en adéquation suffisante avec une partie de lui-même, pour qu'il
n'éprouve aucun des sentiments de rejet qu'elle
inspirait en général, s'en dise épris et ait choisi de
partager sa vie. Où est l'aveuglement ? Dans le
manque d'amour qui braque sur les aspects négatifs d'un être, ou dans l'amour qui les occulte pour
mieux en révéler et rehausser les aspects positifs,
allant parfois jusqu'à les inventer et amener l'autre
à s'y conformer ?

*

Elle passa en revue diverses sortes d'engrenages
névrotiques, mais ses tentatives d'élucidation qui
étaient son unique recours pour moins souffrir, ne
parvenaient pas à chasser de sa tête malade certaines images insupportables. Comment son bel
amour, pour qui elle n'avait cessé de penser que
rien ni personne ne serait jamais assez délicat, assez
raffiné, pouvait-il approcher la femme sans classe

qu'elle avait vue avec lui ? Elle avait beau savoir que l'attirance a des fondements autrement plus complexes que la beauté physique, l'intelligence ou la qualité humaine, elle ne se débarrassait guère de l'impression d'un terrible gâchis, ni du sentiment déconcertant que la compagne de X. était encore plus indigne de lui qu'elle-même.

Une double souffrance l'envahit alors. Car si l'existence de la maîtresse de X. portait un coup fatal à son espoir de renouer un jour avec lui, sa trivialité menaçait de ternir, jusqu'à la dénaturer, l'image idéale qu'elle s'était forgée à la fois de X. et de leur lien. Elle se posa des questions difficiles sur l'éventuelle part de médiocrité qu'elle n'aurait pas perçue chez lui, pour buter à nouveau contre ses propres carences. Car enfin, s'il avait opté pour l'une en passant par-dessus ce qui aurait pourtant dû l'arrêter, n'était-ce pas parce qu'elle lui apportait quelque chose d'essentiel qu'il n'avait pas trouvé chez l'autre ?

Selon les hauts et les bas de son humeur, elle donnait aux mêmes souvenirs ou apparences des interprétations opposées. Cette faiblesse dont il s'était comme excusé, était-ce son incapacité à assumer une relation amoureuse avec elle, ou bien sa difficulté à se dégager de ce par quoi cette autre femme le tenait et qui devait concerner le sentiment de soi. Probablement jouait-elle avec un art consommé la créature perdue dont la vie a été une succession d'échecs et de rencontres décevantes, mais qui a enfin trouvé l'homme capable de la comprendre et de lui venir en aide. Pour peu que l'on soit porté à se sous-estimer et que l'on ait un certain instinct salvateur, comme elle supposait que c'était le cas pour X., quelle irrésistible tentation que ce rôle valorisant d'homme fort, intelligent, sensible, qui réussit là où tous les autres ont échoué !

*

Comme toute étiquette, celle de simulatrice au corps froid et au cœur sec qui collait depuis longtemps à la maîtresse de X. était sans doute exagérée. X. avait d'ailleurs les atouts nécessaires pour faire fondre une banquise. Son authenticité avait pu dissoudre, sans qu'il lève le petit doigt, l'amertume calculatrice que l'on observe chez les femmes pour qui les relations humaines consistent à prendre plus qu'à donner. Non, il n'était pas exclu qu'il y ait de l'amour entre ces deux-là, un amour pimenté par un vertigineux défi mutuel : celui de l'incorruptible à pervertir pour elle, de l'hérétique à convertir pour lui.

Son insolite compagne naviguant depuis long-temps en eaux troubles, elle imagina que l'intégrité, qu'à tort ou à raison, elle prêtait à X., subissait l'aimantation d'une amoralité équivalente chez celle-ci. À moins qu'aveuglée par son idéalisation, elle-même n'ait su discerner quelque chose d'égale-ment dépravé chez X., tout au moins un certain attrait pour une vie d'expédients où sa relative pas-sivité et son besoin de fantasmes trouvaient leur compte. Poussant le raisonnement à ses limites extrêmes, elle envisagea la maîtresse de X. comme l'incarnation de son instinct de mort, par contraste avec elle-même qui aurait davantage représenté son instinct de vie. Vu sous cet angle, le choix qu'il avait fait de Thanatos contre Éros, prouvait l'exis-tence d'inquiétantes tendances autodestructrices chez lui.

Sans aller si loin, cette vieille routière avait pu enchaîner X. par un jeu d'avances et de refus alternés, parvenant ainsi à susciter et entretenir un désir qu'elle-même avait éteint, en se mettant trop ostensiblement en situation de disponibilité et de demande permanentes vis-à-vis de lui. Et puis, bien que son vécu avec X. le démente en partie, ce dernier appartenait peut-être à la race d'hommes dont le désir s'éveille, s'exprime et perdure d'autant mieux qu'il est alimenté par une part de haine. À l'évidence, cette femme dont la personnalité et le statut laissaient supposer une grande expérience des relations sadomasochistes était à même d'éprouver et d'inspirer de tels sentiments, susceptibles de se retourner à son profit, au moins dans un premier temps.

*

Une autre évidence, accablante pour elle, trop exclusive et incapable de ruser, que le mensonge et l'infidélité constituent la recette la plus infaillible, l'aiguillon le plus efficace pour relancer le désir, et l'intuition qu'il s'agissait là de l'une des clés probables de la liaison de X., envahit également son esprit. Il avait sans doute un compte ancien et obscur à régler avec le mensonge ou l'humiliation, par quoi il avait été attiré plus que par la personne, comme le papillon l'est par la flamme plus que par la bougie. Elle pensa que c'étaient l'inconstance et l'aptitude notoire de sa maîtresse à déformer tout fait objectif, occulter toute réalité dérangeante, mêler désordonnément le faux et le vrai, de telle sorte que le faux ne soit jamais entièrement faux, le vrai jamais entièrement vrai non plus, et à se rendre ainsi perpétuellement incernable, qui faisaient courir X., le rendaient fou peut-être... Car le circuit fermé du désir est bien le suivant : le doute instillé comme un poison par l'incohérence de l'attitude de l'autre contamine en premier lieu la vraisemblance de son amour, réactive ensuite le sentiment déchirant de sa propre indignité à être aimé, relançant du même coup et de façon exacerbée un besoin de réassurance qui n'aura de cesse d'être satisfait par celle ou celui-là même ayant mis en branle ce douloureux enchaînement, puisque lui seul détient le contrepoison, puisque lui seul a le pouvoir de dissiper par des paroles et des gestes appropriés l'effet destructeur de ses divers faux-fuyants ou écarts... Elle relut *Un amour de Swann*.

Mais la lumière est indissociable de l'ombre, et lorsqu'une clé manifeste éclaire un point précis, elle épaissit parallèlement l'obscurité de ceux qui l'entourent. Par exemple, alors que son pouvoir de séduction lui donnait a priori l'embarras du choix, pourquoi X. s'était-il fixé sur une femme dont la crédibilité, définitivement compromise par une longue liste d'inconséquences et de trahisons, n'était même pas compensée par l'attrait physique? Peut-être avait-il eu une enfance difficile... Peut-être les rejets dont sa partenaire était l'objet trouvaient-ils un écho favorable chez l'enfant mal aimé qu'il avait été et serait toujours, tandis que ceux qu'elle infligeait assimilaient celle-ci au parent défaillant après l'amour duquel il passerait sa vie à courir, en se sentant davantage poussé vers les femmes n'ayant pas grand-chose à lui donner que vers les autres...

*

L'amour ne reposait-il donc sur rien de plus que le jeu auquel le moule des premiers liens condamne à vouloir jouer – et perdre – invariablement, indéfi-

niment ? Un père absent, une mère inflexible, et
voilà qu'elle-même se serait épuisée à tenter de for-
cer des portes cadenassées, sans pouvoir, sans vouloir comprendre qu'elles ne s'ouvriraient jamais...
Bon gré mal gré, il lui fallait bien admettre que les
disparitions, silences et refus obstinés de X. avaient
intensifié son attirance pour lui. Qu'il soit parti
pour une femme si différente d'elle prouvait pourtant qu'il avait besoin d'autres jeux que ceux qu'elle
aurait tant aimé continuer à pratiquer avec lui, des
jeux moins monotones ou sentimentaux, moins
conventionnels, plus violents et dangereux peut-
être...

Que fallait-il alors penser de la fascination, si
brève eût-elle été, qu'elle-même avait exercée sur
X. et de la déconcertante aptitude de celui-ci à être
en phase avec des femmes aux antipodes l'une de
l'autre ? Était-il à la fois clair et confus, pur et pervers, tendre et cruel ? L'ange se doublait-il d'un
démon, le maître d'un esclave, la victime d'un bourreau ? Ses ambivalences étaient-elles si nombreuses
et si extrêmes qu'il ne pourrait jamais s'en arranger
dans une relation unique, à moins de tomber sur
une personnalité aussi multiple et divisée que la

sienne? La pensée que la palette de sa rivale était plus riche en couleurs et correspondait mieux à celle de X. que la sienne éclairait d'une autre façon l'énigme de son pouvoir sur lui…

*

Ainsi tua-t-elle le temps, échafaudant des hypothèses qui débouchaient sur autant de points d'interrogation, puisque rien ne permettait de les vérifier et qu'il manquait des éléments. Comme il fallait s'y attendre, ce fut l'absurdité apparente de la situation qui ressuscita partiellement son espoir. Quelque chose qui procédait d'abord de ce que dégageait, malgré elle, sa compagne, empêchait de croire complètement en l'authenticité de l'amour que X. prétendait éprouver pour elle, tout au moins en ses chances de durée. Il perdrait patience, s'apercevrait qu'il s'était fourvoyé et lui reviendrait, ne serait-ce qu'en tant qu'ami. Avec la foi d'une adolescente, elle se persuadait que la pureté de ses sentiments triompherait des obstacles et que ses ondes bénéfiques retrouveraient le chemin du cœur de X. Elle imaginait le lien qui avait existé entre eux pareil à un fil magique dont elle devait conserver précieusement le bout qu'elle tenait en main, afin que X. puisse reprendre un jour celui qu'il avait provisoirement lâché, faute de quoi l'amour qui les avait unis se désagrégerait à jamais. Dans ses éclairs de lucidité pourtant, elle voyait tout ce que ce bel idéalisme recouvrait d'incapacité à décrocher de ses chimères. Elle était comme le naufragé qui se sait perdu mais s'agrippe inutilement, par peur de la mort, à une épave dérisoire, pour retarder jusqu'à l'ultime seconde le moment où l'épuisement de ses forces l'acculera à lâcher prise.

5

Quand il téléphona des mois plus tard, elle affecta une bonne humeur et une légèreté destinées à le mettre à l'aise, espérant qu'il ne serait pas à même de déceler les signes qui trahissaient son émotion. Lui aussi parlait sur un ton inhabituellement enjoué, dont elle ne put déterminer s'il était forcé ou naturel. Et s'ils se revoyaient ? Pourquoi pas ? Et pourquoi pas dans l'un de ces jardins publics qu'il affectionnait ? suggéra-t-elle. Mais il préférait une chambre d'hôtel. Elle se garda de se réjouir des intentions qui motivent généralement ce genre de proposition. Elle avait trop souffert, souffrait trop encore du comportement particulier, dont X. s'était parfois lui-même targué, pour anticiper désormais quoi que ce soit de simple ou d'heureux avec lui. Était-elle libre le lendemain ? Elle était libre. Se revoir si vite après une aussi longue absence ne serait-il pas trop difficile ? Si, plaisanta-t-elle, elle ferait un effort...

*

Il était décidément bien étrange cet homme qui, après lui avoir fait des déclarations enflammées, l'avait brutalement laissée tomber pour une créature improbable, n'avait répondu à aucun de ses appels au secours, et resurgissait à présent comme si de rien n'était, en lui manifestant une délicatesse si paradoxale, qu'elle en devenait cocasse. Mais parce qu'elle l'aimait, elle lui accordait toutes les circonstances atténuantes, tous les droits, en particulier celui d'une inconséquence à son égard, dont elle se doutait qu'elle était inconsciente. Plus exactement, elle acceptait sa différence – son attirance pour lui n'y prenait-elle pas sa source ? –, et se refusait à juger des attitudes dont les raisons profondes lui échappaient. Elle lui faisait confiance. L'important n'était pas qu'il l'aime ou ne l'aime pas, qu'il lui fasse du bien ou du mal, ou plutôt qu'elle s'en fasse à cause de ses attentes excessives et de son incapacité à se détacher de lui. L'important était la forme de loyauté qu'elle croyait percevoir chez lui et dont relevaient autant l'ange devant lequel ses défenses s'étaient trop vite effondrées, que l'assassin qui l'avait tuée sans le vouloir, sans le savoir – il ne l'aurait pas supporté –, simplement en disant et vivant sa vérité, et parce que le poids excessif de ses problèmes personnels et des idées fixes où il les projetait l'empêchait parfois de voir ceux des autres, qu'ils soient ou non en rapport avec lui.

*

Il vint au rendez-vous et, comme elle s'étonnait à nouveau du contraste entre sa séduction inchangée et son inexpressivité absolue, elle remarqua le tressaillement imperceptible d'une paupière. C'était le premier signe d'émotivité qu'elle détectait chez lui. Probablement ne signifiait-il pas grand-chose, mais l'idée qu'il pût éprouver vis-à-vis d'elle et de leur entrevue le énième de son propre trouble la transporta.

Cela faisait sept mois qu'ils ne s'étaient pas vus, répondit-elle à la question qu'il posa à ce sujet, espérant qu'il ne relierait pas sa précision au fait qu'elle avait compté les jours, et ajoutant que maintenant qu'il était devant elle, elle avait l'impression de l'avoir quitté la veille. Encore échaudée par le refus buté qu'il avait si souvent opposé à ses approches, elle se comporta comme l'amie que, faute de mieux, elle espérait devenir pour lui, s'enquérant surtout de son travail, parlant de ses propres activités. Il finit par s'allonger sur le lit et elle demanda s'il la souhaitait à ses côtés. Lorsqu'elle le rejoignit, il tourna vers elle un visage lisse aux yeux clos, et l'idée qu'il ne voulait rien savoir de ce qu'elle ressentait lui traversa l'esprit. Qu'il lui dérobe ainsi son regard lui permettait cependant de mieux le dévorer du sien, de mieux s'abandonner à l'amour qu'il lui inspirait toujours et au désespoir où la réduisait son sentiment d'impuissance à le rendre heureux. Il aurait fallu pour cela qu'il l'aime comme elle l'aimait.

Il se laissait faire comme avant et, comme avant, elle se sentait bouleversée qu'il s'en remette ainsi à elle, bien qu'elle ne sache pas vraiment à quoi

imputer son abandon : la confiance ou l'indifférence ? Peut-être était-il ailleurs et ne serrait-elle
qu'un fantôme dans ses bras, peut-être comptait-
elle aussi peu pour lui qu'il comptait trop pour
elle... Elle mit sa main dans la sienne, n'osant aller
plus loin et retenant les mots d'amour qu'elle sentait devoir taire désormais. Quand ils s'étreignirent,
sa souffrance passée ne fut plus qu'un vague souvenir et les raisons de la mystérieuse réapparition de
X. n'eurent plus d'importance.

*

Au cours de leur brève liaison, elle avait pris
l'habitude de le taquiner sur sa vie amoureuse et ne
résista pas à la tentation de demander si, depuis
qu'ils avaient cessé de se voir, celle-ci avait été aussi
enthousiasmante qu'il le méritait. Elle avait été
totalement inexistante, lâcha-t-il avec une spontanéité teintée d'une légère amertume. Quel gâchis !
murmura-t-elle, à la fois incrédule, stupéfaite et
ravie, malgré tout, d'imaginer qu'elle ait l'exclusive
de ce type de rapports avec lui. Elle se souvint
d'aveux similaires lors de leur précédent rendez-
vous, ainsi que des réponses systématiquement

négatives obtenues auparavant, les rares fois où elle avait abordé ce sujet délicat. Il y avait là une énigme qu'elle aurait aimé élucider, mais essayer d'en savoir plus eût été déplacé. X. paraissait détendu et ils se tenaient la main comme s'ils ne s'étaient jamais perdus. Il en vint à quelques confidences sur sa vie personnelle. Il se rendait compte de la nécessité de quitter la femme avec qui il vivait, mais cela prendrait quelque temps encore. Au moment de partir, il exprima avec une désarmante gentillesse ses regrets de ne pas être en mesure de dire quand il la contacterait à nouveau, et elle s'entendit affirmer que ce n'était pas un problème. Elle replongeait brutalement dans la solitude, surprise de ne pas en souffrir davantage. Le bonheur de leur intimité retrouvée et le fol espoir qu'elle aurait des suites pas trop lointaines y étaient sans doute pour beaucoup.

*

Une quinzaine de jours plus tard, elle apprit par hasard que la compagne de X. était partie en vacances sans lui. Il ne chercha pas à la joindre et la supposition que cette femme le faisait souffrir la tortura. À aucun moment des quelques heures qu'il lui avait accordées, X. ne l'avait gratifiée du plus petit mot tendre. Leur rendez-vous n'avait-il été pour lui qu'une façon de se venger des incartades éventuelles de celle dont il partageait la vie, ou bien une piètre compensation d'un soir à des frustrations qu'il subissait à longueur de temps et qui le rendaient malheureux ? Elle se sentit flouée. Il n'aurait fallu que quelques semaines pour qu'elle bascule à nouveau du gris de l'incertitude au noir du désespoir...

*

Ils se revirent dans des conditions similaires. Tout semblait merveilleusement simple dès qu'ils étaient ensemble. Il emmêlait ses doigts aux siens et le curieux mélange de confiance et d'inquiétude qu'elle croyait lire dans ses yeux réduisait à néant la distance que sa longue éclipse et la rareté de ses manifestations auraient dû mettre entre eux. Un jour où, blottie contre lui, elle savourait en silence le sentiment peut-être illusoire de leur unisson, il confia que le temps n'existait pas pour lui. Au fond, il n'avait guère eu l'impression d'être éloigné d'elle durant leur longue séparation, comme si elle avait été présente en lui de façon diffuse. Probablement en serait-il ainsi longtemps encore... Mais quand il évoqua l'effet apaisant que sa présence exerçait sur lui, elle se demanda quels tourments lui creusaient cernes et joues, donnant à son visage dont la beauté n'en devenait que plus troublante, la pointe de relief qui lui faisait défaut, et elle chassa de son esprit l'idée que ces stigmates témoignaient du fait qu'il aimait ailleurs.

À sa grande surprise, il posa ensuite, et pour la première fois, une question sur son emploi du temps. Un ami commun l'avait aperçue quelques mois plus tôt dans un parking, seule au volant et semblant attendre. Se souvenait-elle de ce qu'elle faisait là ?

Les absences répétées de l'autre l'ayant amenée à vivre avec lui une relation plus virtuelle que réelle, elle connaissait les dégâts que provoque l'irruption d'un détail concret le concernant. Si anodin soit-il, ce genre de détail remet brutalement en mémoire que l'être dont le souvenir et l'attente occupent en permanence l'esprit existe sinon sans soi, du moins en dehors de soi. Que, des mois plus tard, X. se souvienne de l'allusion de cet ami et éprouve le besoin d'en savoir davantage, signifiait-il que, plus qu'une simple curiosité, cette allusion avait suscité chez lui la douloureuse perplexité qui l'aurait assaillie elle-même en pareille occasion ? Elle ne sut que penser.

Longtemps, elle avait mis sur le compte de son attitude sans équivoque le manque de curiosité exprimée et l'apparente désinvolture à son égard des quelques hommes qu'elle avait aimés, sous-estimant l'importance de la discrétion ambiguë qui les caractérisait. L'autre ne se permettait pas d'entrer dans son jardin secret par simple délicatesse, mais aussi parce qu'il était trop fragile pour courir le risque tant d'y découvrir des vérités dérangeantes, que de limiter le mystère dont il s'entourait lui-même, dans la mesure où s'autoriser la moindre ingérence dans sa vie à elle lui aurait implicitement accordé ce même droit sur lui.

L'idée l'effleura soudain que la transparence qu'elle se reprochait était susceptible de tisser autour de l'être aimé un cocon plus dangereux à la longue que la corde raide sur laquelle il l'amenait à perdre en permanence l'équilibre. Car, à son insu, les souffrances infligées effectuaient en elle un lent travail de sape qui aboutirait à éteindre le feu qu'elles avaient d'abord attisé, pendant que l'amour indéfectible qu'elle n'avait cessé de lui témoigner apprivoisait l'autre de façon tout aussi insidieuse, le mettant à sa merci au moment même où il la perdait et d'autant plus qu'il la perdait.

Pouvait-elle faire l'effort de se souvenir ? insistait X. doucement. Bien sûr, répondit-elle d'une voix distraite, elle était simplement arrivée en avance à un rendez-vous professionnel fixé non loin de ce parking. Elle se rendait d'ailleurs dans ce quartier et se garait là, chaque fois qu'il lui fallait renouveler sa garde-robe.

Loin de dissiper le doute, les explications banales l'amplifient le plus souvent. Elle espéra que sa réponse n'avait en rien effacé ce qui avait eu le pouvoir de troubler la sérénité de X. à son sujet. Mais X. était maître en l'art de cacher ses sentiments, au point qu'elle ne savait jamais si elle devait attribuer son impassibilité affichée à l'absence d'émotions ou à une maîtrise peu commune de lui-même. Elle observa un moment son beau profil renversé, que les paupières closes rendaient plus énigmatique encore, et se sentit déchirée. Elle devrait se contenter des bribes de lui-même qu'il lâcherait au compte-gouttes, entre deux absences, deux disparitions, et se dit que c'était au-dessus de ses forces.

*

Bien plus tard, quand l'interminable descente aux enfers eut suffisamment asséché son cœur pour qu'elle s'imagine guérie, alors que son corps subissait les premiers ravages de la bombe à retardement qu'est la souffrance affective trop forte qui dure trop longtemps, elle se demanderait comment il était possible d'éprouver une telle fascination et d'en arriver à de telles extrémités pour qui que ce soit. Comment avait-elle pu en arriver là ? Plus stupéfiant encore : comment une aliénation pareille pouvait-elle aboutir à une semi-indifférence, entachée d'un vague sentiment de honte au souvenir de l'immaturité qu'elle supposait.

C'est lors de cette phase de dessillement, dont on ne sait trop si elle est une mort définitive ou une résurrection provisoire, qu'elle entrevit mieux à quel point le sentiment amoureux incite celui qui en est la proie à des interprétations irrationnelles de la réalité au point de la fausser parfois du tout au tout. Elle apprit que X. et sa compagne de l'époque avaient habité à proximité du parking et comprit que la vérité devait être infiniment plus simple, plus prosaïque, que tout ce qu'elle s'était figuré : X. l'avait sans doute suspectée de tenter, sinon de l'espionner, du moins de chercher à le revoir.

*

Elle ne reconnut pas sa voix tant l'émotion en altérait le timbre, quand il l'appela un dimanche pour la prévenir qu'il dormait chez des amis à la suite de sa décision de quitter la femme dont il partageait la vie. Suivit une énumération de griefs conformes à ce qui circulait depuis longtemps sur le compte de celle-ci. La rupture actuelle avait été précédée d'un grand nombre d'autres, lui apprit-il, mais il ne reviendrait plus en arrière et ne cachait pas qu'il était très malheureux. Il s'en excusait d'ailleurs, car il se rendait compte du mal qu'il lui faisait ainsi que de l'invraisemblance d'une situation qui le mettait entre un diable d'un côté et un ange de l'autre.

À nouveau en effet, il la poignardait en plein cœur. Car X. souffrait et sa souffrance constituait l'aveu le plus clair de son attachement à une autre. Une autre apparemment si dépourvue des qualités qui rendaient X. unique à ses yeux, qu'anéantie, elle se demandait plus que jamais quel était le secret de sa force d'envoûtement sur lui. X. se plaignait et elle essayait de lui prêter une oreille bienveillante, proposant son aide et craignant en même temps qu'il la soupçonne de profiter de son malheur pour s'immiscer dans sa vie, afin de l'annexer davantage à la sienne. Elle s'ouvrit de ses appréhensions qu'il calma aussitôt : s'il ne lui faisait pas confiance à elle, il ne lui restait plus qu'à se tirer une balle dans la tête. Il articulait avec difficulté, et ce signe flagrant de souffrance la bouleversait. Tandis qu'elle s'entendait dire, aussi doucement que possible, qu'elle était triste de le savoir dans cet état et que, quelle que soit l'heure, il ne devrait pas hésiter à la rappeler s'il avait besoin de s'épancher encore, elle se sentait autant submergée par le désir d'être auprès de lui pour tenter de l'apaiser, que par le désespoir de constater que son amour était si peu partagé par X., qu'il ne lui était d'aucun secours ou presque.

*

Peu après, il proposa d'aller la voir mais déclina l'offre qu'elle fit de réserver sa soirée. Craignant les retombées d'un excès de chagrin, elle s'apprêtait à jouer les consolatrices un certain temps encore. Aussi fut-elle surprise de constater que rien dans l'allure et la façon d'être de X. ne trahissait un effondrement récent. Il paraissait, au contraire, très reposé et sûr de lui. Pour des raisons pratiques, l'informa-t-il, il était provisoirement retourné vivre chez sa maîtresse. Il devrait d'ailleurs rentrer plus tôt que prévu, car celle-ci avait inopinément abrégé un séjour en province et, malgré la détérioration de leur relation, il préférait rester prudent.

Il affichait une aisance déconcertante. Dans son trouble, elle dit sans y penser quelques mots sans intérêt qu'il releva et développa avec brio. Puis, inversant leurs rapports habituels, il prit les initiatives dont, le plus souvent, il lui avait laissé l'apanage. Elle ne put se défendre alors du sentiment qu'il cherchait à donner le change, parce que sa fierté souffrait qu'elle ait été témoin de sa détresse. Pourtant, si douloureux qu'eût été l'aveu de son attachement à une autre, il avait prouvé qu'il lui faisait confiance au point de se mettre à nu devant elle. À présent, sa volonté manifeste de se montrer sous un jour radicalement différent en faisait presque un étranger qui, d'une certaine façon, l'excluait de la vie où il l'avait laissée entrer quelques jours plus tôt. Elle eut l'intuition amère que son spectaculaire changement d'attitude était dû tant à son amour-propre qu'au retour de sa maîtresse, l'amélioration désormais inavouable de leur relation lui ayant permis de retrouver sa superbe.

Ironiquement, elle exprima son étonnement de le voir dans une forme pareille, alors qu'à peine quelques jours plus tôt, sa compagne le réduisait au désespoir. C'était le bilan négatif de son année qui l'avait mis dans cet état, rien d'autre, s'énerva-t-il. Elle n'insista pas. Manifestement, la vie de X. avait repris son cours normal, et il tenait à ce qu'elle oublie l'image affligée qu'il avait eu la faiblesse de lui donner à voir.

*

Leur étrange liaison se normalisa elle aussi. Ils prirent l'habitude de se voir clandestinement une ou deux fois par mois. C'était peu pour elle, mais il prétendait que c'était beaucoup pour lui à qui ses activités et des problèmes divers, entre autres la reprise d'une vie commune difficile, laissaient peu de disponibilité. Elle se retrouva dans l'éprouvante situation consistant à rester suspendue à des coups de fil et des rendez-vous trop espacés. Cette forme de dépendance et de frustration lui paraissait infiniment plus enviable pourtant que l'abandon qu'elle avait connu et dont l'angoisse latente la paralysait à nouveau, dès que le besoin de la présence de X. commençait à la harceler, quelques jours seulement suffisant à rompre

l'équilibre précaire qu'elle tirait de chaque rendez-
vous.

*

L'insécurité et la solitude où la rareté des manifestations de X. la plongeait le plus souvent la mettaient à l'affût des indices d'une relative réciprocité
entre eux. Il voulut savoir un jour s'il y avait eu
d'autres hommes pendant leur séparation. À peine
songeait-elle qu'il devait être bien peu sûr de lui ou
bien peu sûr d'elle pour poser une telle question,
qu'une avalanche de doutes freina sa spontanéité
coutumière. De son propre aveu, X. était jaloux.
Ne valait-il pas mieux attiser sa jalousie que la dissiper ? Sa relation avec la femme qu'il ne parvenait
pas à quitter, malgré le mépris qu'il lui arrivait
d'afficher à son égard, n'avait-elle pas un fonde-
ment sadomasochiste ? Et qu'avait-il voulu dire un
an plus tôt, par son refus d'une relation absolue ?
S'il redoutait une demande trop forte, trop exclusive, qu'il se sentait incapable de satisfaire, alors
dire que oui, il y avait eu d'autres hommes, atténuerait cette crainte qui avait peut-être motivé sa fuite

dans le passé et risquait de la provoquer à nouveau dans l'avenir.

Elle se souvint des reproches réitérés d'un ami à propos de son incapacité à jouer un certain jeu qui, selon lui, expliquait les difficultés qu'elle rencontrait dans sa vie sentimentale. Un vertige la saisit à l'idée de se trouver à un moment-clé de sa relation avec X. et d'avoir l'opportunité d'en prendre les rênes pour la mener où bon lui semblait, si elle s'emparait de la perche grossière que, dans une candeur quasi juvénile, il venait de lui tendre. Mais l'hypothétique victoire visée par la volonté de mener l'amour comme une guerre, à l'aide de ce qui lui est le plus antinomique – le calcul, le mensonge, les rapports de force –, ne porte-t-elle pas les germes de la défaite, puisque se faire aimer pour ce que l'on n'est pas revient à ne pas l'être pour ce que l'on est ?

L'amour de X. étant nécessaire à sa survie, ou à défaut, la fin de son amour pour lui, elle se sentit la proie d'une incertitude inhabituelle. Tandis qu'elle pressentait que réduire X. à un objet manipulable risquait d'éteindre tout ou partie de cet amour, s'il était assez faible et naïf pour se laisser piéger de la sorte, l'absurdité de son raisonnement lui sauta aux yeux. Une telle attitude n'aurait été possible que si elle l'avait moins aimé.

Comme elle n'avait pas encore répondu, il réitéra sa question avec une insistance à la fois maladroite et brutale qui lui fit chaud au cœur. Il avait tourné le dos et paraissait crispé. Ainsi, il ne lui était pas indifférent qu'elle ait été attirée ailleurs ? Ainsi, il ne s'était pas rendu compte que l'amour qu'elle éprouvait pour lui excluait qu'elle pût avant longtemps faire avec qui que ce soit d'autre les gestes de l'amour ? Mais, sans doute, plus que l'expression des sentiments de X. à son égard, fallait-il voir dans son attitude celle du sentiment d'exclusion qu'elle avait parfois subodoré chez lui et qu'il appréhendait qu'elle ravive.

Elle dit qu'elle hésitait parce qu'elle ne savait pas ce qu'il avait envie d'entendre. « La vérité, c'est tout », lança-t-il avec une brusquerie laissant supposer qu'il avait déjà interprété son hésitation comme l'aveu de son infidélité. Elle réalisa alors qu'il ne suffisait pas d'un simple effort stratégique pour modifier le scénario où, jusqu'alors, elle avait tenu le rôle ingrat de celle qui attend, subit, pleure, saigne, de celle qui aime : il lui était aussi impossible d'entrer dans un jeu qui, en répondant aux besoins inconscients de X., l'aurait davantage attaché à elle, que de changer subitement de peau. Non, il n'y avait eu personne... Et tandis qu'elle banalisait les choses, confessant son manque d'intérêt pour l'amour physique, le dégoût qu'elle éprouvait même assez facilement dans ce domaine, elle se demanda si X. comprenait qu'elle n'évoquait là que la relation physique sans amour. Cette répugnance à toucher, embrasser, cette froideur dont elle se targuait et qui étaient effectivement les siennes vis-à-vis des autres, n'impliquaient-elles pas l'excès inverse dans le désir dont elle brûlait pour lui ?

Mais X. s'indignait. Elle était complètement folle d'imaginer qu'il préfère l'autre alternative, il aurait fallu qu'il soit lui-même complètement fou pour souhaiter qu'elle ait eu d'autres aventures. C'était sorti comme un cri du cœur. Quels manques, quelles souffrances X. avait-il endurés et refoulés

dans un lointain passé, pour que son comportement démente aussi souvent, aussi ostensiblement,
un discours dont la sincérité n'était pas à mettre
en doute, et qu'il soit le dernier à s'en rendre
compte ?

6

X. se confiait si peu, qu'elle n'avait qu'une vague conscience des disparités entre leurs vies professionnelles respectives, et ne prenait guère la mesure de l'inconfort que cela représentait pour lui, encore moins de ses effets pervers sur leur relation. Mais quand ses activités l'obligèrent à partir plusieurs semaines, elle craignit qu'une nouvelle rupture entre sa compagne et X. ne le mette à la rue pendant son absence, et obtint, non sans mal, qu'il garde les clés d'un pied-à-terre, laissé vacant par l'un de ses collègues.

Ils s'y retrouvèrent la veille de son départ. X. se montrait aussi tendre que d'habitude et ils commencèrent par deviser gaîment dans les bras l'un de l'autre. Rien au monde n'égalait pour elle le bonheur de se blottir ainsi contre lui, et de l'embrasser à tout propos jusqu'à ce que la montée progressive du désir commande d'aller plus loin. Elle voulut savoir s'il lui était arrivé de toucher le fin fond du malheur à cause de quelqu'un. Jamais encore, confessa-t-il, ajoutant, avec une déroutante simplicité, que les quelques femmes avec qui il avait vécu jusqu'à présent, avaient toutes été folles de lui.

Cette déclaration la glaça. Elle aussi était « folle » de lui, autant ou plus que celles qui l'avaient précédée, et elle se sentit humiliée et blessée de pécher exactement par où les autres avaient péché et l'avaient perdu. Pouvait-on dire d'ailleurs qu'elles l'avaient perdu, alors qu'il semblait avoir été si peu à elles ? Car que faisait X. de plus, au fond, que se prêter à qui jetait son dévolu sur lui ? Que laisser l'autre faire les premiers pas, pour se dérober dès qu'il s'agissait de passer des jeux superficiels de la séduction à une implication qu'il fuyait pour des raisons qu'elle cernait mal ?

Sa relation avec sa maîtresse du moment échappait pourtant à ce modèle. Elle fit remarquer qu'une fois au moins, il avait été amoureux au point d'être malheureux. L'allusion lui déplut.

Ainsi, parce qu'elle l'avait vu malheureux, elle en avait déduit qu'il était amoureux ? se rebiffa-t-il. Évidemment, maintint-elle en soutenant le regard de X., lourd d'un ostensible mépris pour son simplisme. Il reconnut alors qu'elle n'était pas à même d'imaginer la nature conflictuelle de la relation en question ni la violence des scènes qu'elle générait. Jamais il ne pourrait lui parler à elle comme il parlait à cette femme qui avait le don particulier de le rendre malheureux en lui dressant des réquisitoires dont, au-delà des exagérations, le fond de vérité lui était insupportable.

Le voile du mystère qui la hantait depuis si longtemps allait-il se lever ? Elle ne s'y appesantit pas. L'heure tournait, des kilomètres, des semaines allaient les séparer et elle souhaitait que ce dernier rendez-vous les rende forts, l'un et l'autre, d'un bonheur partagé dont le souvenir atténuerait l'épreuve de la séparation. « Pourquoi n'ai-je envie de rien de plus avec toi aujourd'hui ? » lança alors X., faisant soudain virer au noir un ciel qu'elle avait eu la naïveté de croire bleu. La légèreté, affectée ou non, du ton de sa voix rendait le propos plus meurtrier encore. « Parce que je n'ai envie de rien non

plus », mentit-elle, mortellement alarmée et se rac-
crochant à l'espoir qu'il s'amusait à la faire mar-
cher. Ils plaisantèrent ainsi un certain temps, mais
lorsque, à bout de patience, elle se fit plus pres-
sante, il s'éloigna d'elle avec vivacité, l'avertissant
qu'il était inutile d'insister.

Elle se retrouvait dans l'impasse. Submergée par
l'angoisse du manque et de la solitude où X. la plongeait une fois de plus et qui s'étendaient à l'infini
devant elle, elle se mit à pleurer. Il parla alors avec
indifférence de sa récente incapacité à avoir des
relations physiques avec une femme aimée, ce qui
l'avait amené à s'adresser à une prostituée. Elle
regarda avec incrédulité le bourreau à tête d'ange
qui, non content de la torturer, lui assénait le coup
de grâce. N'avait-il rien trouvé de mieux à inventer
pour se débarrasser d'elle ? Mais il devina ses pen-
sées et s'empressa de retourner le couteau dans la
plaie. Il ne mentait pas, le désir ne se commande pas
et il n'en éprouvait plus pour elle. Il n'en éprouvait
pour personne de toute façon. Peut-être était-il
anormal ou homosexuel ? Peut-être qu'en dépit ou
à cause de sa nature strictement mécanique, l'acte
sexuel avec une prostituée n'avait été destiné qu'à le

rassurer sur lui-même ? S'agissait-il d'un phénomène passager ou durable ? Ce qu'il lui infligeait là
viendrait-il le frapper en plein cœur, à la façon d'un
boomerang, après son départ ? Il n'en savait rien.

La vision de X. à la recherche puis entre les
mains d'une prostituée la suppliciait. Elle tenta de
le prendre dans ses bras, mais il se dégagea violemment. Incapable de contenir plus longtemps la
colère due à la frustration, elle l'accusa alors
d'égoïsme, insinuant que ce point commun avec sa
maîtresse constituait la base de leur relation. Elle
s'en voulait de sa partialité, mais elle était comme
un animal en danger de mort dont l'unique recours
est de mordre où il peut. X. se buta et voulut
partir. Affolée, elle tenta de se justifier. Il ne se
rendait pas compte comme elle avait souffert, souffrait encore, de le partager avec une autre, ni que
son unique consolation avait été de penser que le
privilège de leur intimité physique lui était réservé,
puisque, à l'en croire, il n'avait pas ce type de rapports avec la femme dont il partageait la vie. « Te
rends-tu compte que tu ne me parles que de cul ? »
l'interrompit-il brutalement. Elle s'effondra. Comment pouvait-il rabaisser ainsi ce qui dans leur

relation était non seulement l'expression mais aussi le couronnement de l'amour qu'il lui inspirait ? D'ailleurs, depuis l'instant de leur rencontre et durant les longs mois de leur séparation, elle n'avait jamais désiré qui que ce fût d'autre que lui. L'espace d'une seconde, il lui sembla que X. la dévisageait avec plus d'intensité et que son masque de froideur fondait. Mais il se reprit aussitôt. Il était en retard et devait s'en aller. Que pouvait-il dire de plus d'ailleurs ? Rien, reconnut-elle sèchement, il avait été parfaitement clair.

*

Précipitée dans un gouffre dont la profondeur était à la mesure des sommets auxquels elle avait accédé depuis qu'elle aimait X., elle tenta d'anesthésier la plaie vivante qu'il lui semblait être devenue tout entière, en recourant à l'alcool. Sa nuit se passa à boire et à écrire pour mieux tromper la souffrance qui la terrassait.

Parce qu'il ne la blessait pas davantage et l'aidait en partie à supporter l'insupportable, le cliché de l'association argent-puissance-sexe, s'imposa pour

la première fois à son esprit. Aussi suggéra-t-elle à
X. que le décalage entre leurs situations professionnelles et matérielles respectives, aggravé par
les services récents qu'elle l'avait presque forcé à
accepter, jouait un rôle essentiel dans le problème
qui les séparait à nouveau. Jusqu'à quel point lui
donnait-elle l'impression de n'être rien de plus
qu'un bel objet interchangeable qu'elle s'offrait en
passant, simplement parce qu'il était agréable à
regarder, alors qu'il aspirait sans doute à être aimé
pour autre chose que son apparence ? Jusqu'à quel
point sa fierté masculine le braquait-il sur les
aspects de leur relation qu'à tort ou à raison il
jugeait rabaissants pour lui ? En s'adressant à une
prostituée, n'avait-il pas inconsciemment cherché à
inverser les choses, puisque, dans ce rapport particulier, c'était lui qui payait et décidait, l'autre qui
faisait fonction d'objet ? Et dans quelle mesure, en
optant pour une navigatrice en eaux troubles,
n'avait-il pas – inconsciemment toujours – choisi
les échecs et les problèmes de celle-ci, en ce qu'ils
relativisaient les siens ? De surcroît, la frigidité sup-
posée de cette femme lui évitait de l'encombrer
avec un désir qu'il inspirait, malgré lui, trop facilement, ce qui, en l'occurrence, l'autorisait à penser

qu'on ne l'appréciait pas seulement pour ses beaux yeux. Quelle ironie ! L'homme sans séduction mais aux ambitions sociales satisfaites redoute de n'être aimé que pour sa réussite, alors que l'homme attirant qui, socialement, n'a rien prouvé encore, rabaisse l'amour qu'on lui porte à un simple phénomène d'attirance physique, sans réaliser que le paraître est indissociable de l'être et, qu'au-delà du paraître, c'est bel et bien l'être que l'inconscient de l'autre perçoit. Comment expliquer autrement ces laideurs qui attirent et ces beautés qui repoussent ?

À ce moment de sa réflexion, lui revint en mémoire un grief de X. qui l'étayait. Il avait confié un jour qu'il n'aimait pas se sentir dominé, précisant qu'en ce qui concernait leur relation intime, il n'avait pu lui laisser l'intitiative que parce qu'il en avait décidé ainsi. Comment répondre que l'attitude active dénoncée par X., et tributaire, en effet, de son bon vouloir à lui, était d'autant moins dominatrice qu'elle était commandée par l'impression dévastatrice d'être moins désirée par lui qu'il ne l'était par elle ?

Elle insinua qu'une partie de l'emprise de sa maîtresse venait de ce qu'elle incarnait ses tendances
destructrices. Mais on ne vivait pas impunément
dans l'atmosphère d'une représentante de Thanatos, insistait-elle lourdement. Les vibrations négatives dont elle était chargée finiraient par miner
entièrement un terrain dont la partie malade ne
demandait qu'à l'être davantage. Ne fallait-il pas
voir dans l'impossibilité de X. d'avoir des relations
sexuelles autres qu'avec une prostituée une preuve
inquiétante de la progression des tendances incrimi-
nées ? À l'évidence, le fait de payer permettait de
réduire l'autre à l'objet de désir auquel il appréhendait d'être réduit lui-même et d'en tirer une impression de puissance, si dérisoire soit-elle... Sans doute
cela le débarrassait-il momentanément d'une senti-
mentalité qu'il combattait parce qu'elle le fémini-
sait, mais le sombre pouvoir d'attraction de la
prostituée ne résidait-il pas surtout dans l'avilissement qu'elle suppose, un avilissement qui reflétait
d'abord, entretenait ensuite, le mépris de X. pour
lui-même ?

Arrivée à ce point de son analyse, elle prit en son
for intérieur la décision de ne plus désormais écrire

ni téléphoner à X. et, en guise de conclusion à sa lettre, laissa éclater sa révolte. Que n'était-elle aussi dissociée que lui ? Mais, menaçait-elle stupidement, elle allait faire des efforts dans ce sens, se mettre au diapason en se jetant elle aussi dans le sexe sans amour jusqu'au dégoût du sexe, de l'amour, d'elle-même, des autres, de lui, pour mieux tuer ce désir qui empoisonnait leur relation. Elle priait le ciel que la femme qu'il aimerait un jour le plante là, sous prétexte de ne pouvoir éprouver de jouissance que dans une forme ou une autre de dépravation qui l'exclurait lui-même et le détruirait autant qu'il la détruisait à présent. L'idée la frappa alors que c'était peut-être justement de cette façon que sa compagne avait réussi à le ligoter, idée si insoutenable qu'elle l'écarta aussitôt. Pour la première fois, la crainte d'accabler X. encore plus qu'il ne devait l'être déjà ne l'arrêtait pas. Elle commençait à réaliser combien son attitude envers lui, immuablement bienveillante – maternelle au fond –, avait joué contre eux. La tendresse que X. lui inspirait et dont elle avait sans cesse fait preuve n'avait réussi qu'à le priver de résistance à vaincre et, en supprimant la distance où le désir prend sa source, à annihiler chez lui tout désir pour elle.

Ce dernier constat la déchira. Elle alla chercher une boîte de kleenex dans la salle de bains et s'aperçut dans la glace. Les belles théories qu'elle venait de se donner tant de mal à échafauder, pour se convaincre elle-même surtout que le problème était cernable et par conséquent soluble, s'écroulèrent instantanément. La vérité était là dans ce miroir impitoyable qui lui renvoyait l'image d'un visage amer, marqué, tristement dépourvu de cette grâce qu'elle aimait tant chez X. Avant de le connaître, quand elle désespérait de l'approcher jamais, elle suppliait intérieurement : « Une fois, rien qu'une fois... une nuit, rien qu'une nuit... » Le miracle s'était produit. Plusieurs fois. Était-elle si avide, si insatiable, qu'elle ne se suffise de rien et veuille toujours plus, alors que, contre toute attente, elle avait eu l'extraordinaire privilège de voir se réaliser son rêve le plus fou ?

*

Quand le présent est trop noir, on se focalise sur la moindre lueur permettant de se projeter dans un avenir plus rose. Une amie qui consultait régulièrement des cartomanciennes lui en recommanda deux qui la reçurent avant son départ et annoncèrent plus ou moins la même chose : la situation était bel et bien bloquée, mais qu'elle soit patiente, le temps jouerait pour elle, elle connaîtrait à nouveau de grands moments avec X. « Il y a quelque chose d'indestructible entre vous », affirma l'une. « Si je voyais que c'est fini, je ne vous le cacherais pas », renchérit l'autre, ajoutant pour couper court à ses doutes qu'il serait criminel d'aller dans le sens de ses aspirations si elle n'était pas certaine de ce qu'elle avançait.

Jamais elle n'avait ressenti à ce point le pouvoir magique des mots. Elle avait beau se répéter qu'un instinct particulier donne aux femmes qui se prétendent voyantes l'art de répondre à l'attente de leur clientèle, toute la partie meurtrie d'elle-même se saisit de l'espoir ainsi rendu. Peu importait qu'il fût fondé ou non, elle en avait besoin comme de l'air pour respirer et il l'aiderait à vivre jusqu'à la prochaine étape, quelle qu'elle soit.

*

Une fois loin du théâtre de ses drames, sans moyen de joindre X. et persuadée qu'il ne tenterait rien de son côté, elle se remit à osciller du mal-être absolu à un état de moindre mal ; de la réalité d'une existence privée de perspectives, à la perspective que faisaient miroiter les cartes d'une existence qui reprendrait, tôt ou tard, les couleurs qu'elle venait de perdre.

*

Il téléphona un après-midi sous prétexte qu'il avait envie de lui dire bonjour, puis, comme incidemment, voulut savoir s'il poserait problème en emménageant dans le pied-à-terre dont elle lui avait donné les clés. À son insistance un peu gauche pour la convaincre que ce n'était pas cette raison-là qui motivait son appel, ainsi qu'au ton mal assuré de sa voix, elle se sentit fondre. Comment le convaincre que ses attitudes paradoxales – jusqu'à l'incohérence parfois – n'avaient en rien ébranlé la confiance qu'elle mettait en lui, simplement parce qu'elle pressentait qu'il était la proie de conflits intérieurs aggravés par ses difficultés du moment ?

Les blessures occasionnées par leur dernière entrevue ne cicatriseraient pas de sitôt, mais nul ressentiment n'était venu entacher son amour. Elle se méfiait de la forme d'aveuglement qui consiste à rejeter sur l'autre la responsabilité de la souffrance. Chaque être ne se débat-il pas dans la prison de ses manques, et les problèmes qu'il rencontre n'en sont-ils pas, le plus souvent, le reflet et le fruit ? Son cœur se serra en imaginant combien il devait en coûter à X., dont elle connaissait la fierté, de demander un service qui était l'aveu implicite d'un nouvel échec de sa relation avec la femme qu'il lui avait préférée. Elle répondit qu'elle était contente non seulement de l'entendre, mais encore de savoir que cet appartement allait être utile à quelqu'un.

*

Quand il rappela pour régler des détails pratiques, elle s'enhardit à demander si ça allait si mal que ça de l'autre côté et il éluda la question. Ils raccrochèrent sur un « à bientôt » anodin. Elle avait à présent la possibilité de joindre X. comme et quand elle le voulait, mais, retenue par diverses craintes, celle surtout de le sentir indifférent ou

ennuyé si elle téléphonait à son rythme à elle, elle
préférait lui laisser l'initiative et dépendre de son
rythme à lui. Un jour pourtant qu'elle n'en pouvait plus d'être sans nouvelles, elle se pénétra de
l'idée qu'il était peut-être seul, malheureux, et
avait besoin de son amitié, pour y puiser le cou-
rage de composer son numéro. « Comment ça
va ? » s'enquit-il d'un ton désinvolte qu'elle inter-
préta comme une progression dans la distance
qu'il prenait vis-à-vis d'elle, ce qui, à la douleur
qui la rétracta aussitôt, lui fit réaliser qu'elle atten-
dait beaucoup plus de ce coup de fil qu'elle ne se
l'était avoué. Elle adopta le même ton mais quand,
après un échange de propos superficiels, il lâcha
un « à un de ces quatre », comme s'il n'y avait eu,
et ne pourrait désormais y avoir, rien de plus
entre eux qu'une relation de copinage, elle toucha
à nouveau le fond du désespoir. Aucune lueur, si
faible soit-elle, n'indiquait la sortie du tunnel.

*

Lorsque, à son retour, elle prit contact avec lui, le
bonheur qu'elle éprouva simplement à entendre
sa voix facilita l'adoption du ton amical qu'elle

s'efforcerait désormais de garder et qu'imposaient tant le risque de braquer X. si elle laissait transparaître la moindre ambiguïté, que le vague espoir que son détachement apparent finirait par l'intriguer.

La première fois qu'elle le revit, elle dut se contenter de la forme particulière de communication qui consiste à ne pas communiquer. X. discourait, évoluait, avec cette troublante aisance dont elle se demanda, une fois de plus, si elle recouvrait une indifférence feinte ou réelle. Où donc était passé l'homme sensible et vulnérable qu'elle aimait ? Elle se dit qu'il ne serait en fin de compte pas si difficile de se détacher de l'être tout en façade qu'elle avait devant elle et qui d'ores et déjà l'ennuyait presque. À un certain moment, il s'allongea sur la moquette dans une pose qu'elle aurait jugée étudiée, si elle ne connaissait suffisamment X. pour savoir qu'il était en partie inconscient de la grâce innée qui charmait tous ceux qui l'approchaient. La vision qu'il donnait ainsi de son profil immobile, évoquait pourtant la faculté qu'ont les hystériques de se donner en spectacle à des fins séductrices, pour se retirer du jeu dès qu'en plus du regard, le désir de l'autre semble capté.

Toutes émotions bloquées, elle attendit patiemment qu'il sorte de son élégante léthargie, pour poser la question qui lui brûlait les lèvres. Cette impossibilité ou ce refus d'avoir désormais une intimité avec elle venaient-ils de ce qu'elle avait purement et simplement cessé de lui plaire, ou d'autre chose ?

Cela n'avait rien à voir avec elle, répondit-il sans sourciller, tout ne tenait d'ailleurs qu'à un fil, un fil particulièrement ténu, fragile, mais il ne voulait surtout pas lui donner de faux espoirs et la rendre plus malheureuse encore, en ne fermant pas définitivement une porte qui ne se rouvrirait peut-être jamais plus. La componction détachée avec laquelle il se préoccupait d'elle la blessa. Elle aurait voulu griffer, mordre, voir l'affolement et la douleur déformer et enlaidir le visage trop lisse. Quand elle se retrouva seule, elle pleura non sur la perte de X., mais sur celle de l'être qu'elle s'était probablement inventé à partir de la douceur d'une pression de mains, la transparence d'un regard, l'angélisme d'un sourire, ainsi que du faux abandon d'un corps dont certaines rigidités l'avaient bouleversée, parce qu'elle y avait vu autant de blessures secrètes. Que n'eût-elle donné pour les adoucir… Mais X. s'était bardé de verrous et, en dépit ou à cause de l'amour dont elle débordait pour lui, elle n'avait pas su en faire sauter un seul.

*

Il lui écrivit peu après une lettre qui la toucha au plus profond, en ce qu'il y exprimait maladroitement l'inconfort où le mettaient des doutes sur lui-même qu'amplifiait son marasme dans trop de domaines. En même temps, il affirmait que sa décision de renoncer à une partie de leur relation n'avait pas été sans douleur, ajoutant qu'il avait besoin d'elle, besoin qu'ils soient davantage que de simples amis l'un pour l'autre. Habituée à ses contradictions, elle traduisit qu'elle devait continuer de l'aimer mais cesser de le désirer.

*

Commença un long supplice de Tantale. La pensée que X. appréhendait autant qu'elle, bien

que pour des raisons opposées, leurs tête-à-tête,
l'empêchait d'en prendre l'initiative et était une
source d'inconfort pour l'un comme pour l'autre.
Il y avait ce malaise du désir entre eux, un désir
dont lui ne voulait plus et dont elle ne pouvait se
défaire comme d'un objet encombrant, puisqu'on
ne possède pas son désir, c'est lui qui vous possède. Or, même si elle réussissait à jouer le dégage-
ment, d'autant plus facilement, d'autant mieux,
qu'extérioriser le moindre sentiment l'eût rendue
importune, comment aurait-elle maîtrisé la communication involontaire qui emprunte d'autres
voies, plus subtiles et insidieuses que celles des
apparences simulables, et par lesquelles le désir,
quelque mal on se donne à le brider et le taire, se
trahit malgré soi, vous trahit malgré tout ?

X. manquait-il de réceptivité à ces voies-là ou
avait-elle réussi à donner le change ? Il lui confia
dans un petit mot comme il était déconcerté par les
attentions dont elle l'entourait et auxquelles personne ne l'avait habitué jusque-là. Il tenait surtout
à l'informer, écrivait-il plus loin, qu'il ne dirait
jamais plus qu'il avait définitivement renoncé
à toute intimité avec elle, car il sentait bien qu'à

chaque rare seconde passée en sa compagnie, les choses risquaient de basculer. Tout au moins en ce qui le concernait. Ce basculement serait d'ailleurs malvenu, poursuivait-il, puisque sa vie à elle semblait reprendre son cours normal et qu'il n'avait pas le droit de la perturber à nouveau avec son instabilité.

*

Mais lorsqu'elle le revit et chercha à savoir si cet aveu valait toujours, il parut si peu comprendre à quoi elle faisait allusion, qu'elle dut mettre les points sur les *i*. Elle l'avait mal compris, se récria-t-il, il n'avait jamais voulu dire ça, et s'il avait pu imaginer une seule seconde qu'elle interprèterait aussi mal ses propos, il se serait abstenu ! C'est tout juste s'il ne la traitait pas d'imbécile qui prend ses rêves pour des réalités. Elle alla chercher sa lettre pour qu'il constate qu'aucune ambiguïté n'était susceptible d'en fausser l'interprétation, mais il se buta sur ses positions. Alors, devant ce nouvel écroulement de ses espoirs, elle eut la hardiesse de ceux qui n'ont plus rien à perdre et s'approcha de lui, mais il se raidit aussitôt et elle se rendit compte que seule la correction l'empêchait de la repousser plus violemment.

Bien qu'elle fût très chère à son cœur, il ne souhaitait pas avoir trop d'importance pour elle, se défendit-il. Les fondements de l'amour qu'elle prétendait éprouver pour lui n'étaient d'ailleurs pas clairs. Ils lui échappaient en tout cas.

Comment parler de la simplicité et de l'évidence des fondements dont il doutait ? Ils étaient là, dans les petits bouts d'âme si lumineuse qui transparaissaient dans ses yeux et lui étaient nécessaires comme l'oasis à qui meurt de soif dans le désert. Ils se trouvaient aussi dans le saisissant contraste entre le mur d'assurance et de distance, polies ou hostiles, qu'il dressait entre eux la plupart du temps, et la timidité, la docilité, la façon de sourire qui avaient été les siennes pendant leurs moments d'intimité. X. ne prenait pas, il s'offrait, semblant s'excuser d'avoir si peu à donner, alors même qu'il donnait tout, relançant ainsi chez elle un douloureux processus où le sentiment de sa propre indignité, la gratitude, la passion et le déchirement de penser qu'elle ne se relèverait pas

de devoir se passer de lui s'exacerbaient mutuelle-
ment. Car c'était dans les moments où, malgré sa
peur, X. se mettait en danger en se délestant de
ses masques, qu'il était le plus émouvant, et elle
aspirait d'autant plus désespérément à retrouver
cet être-là, qu'elle le pressentait aussi éphémère
que leur relation. L'erreur qu'il commettait, par
exemple, de prendre sa sensibilité pour de la faiblesse, et, plus globalement, sa conception trop
conventionnelle de la virilité, l'incitaient, depuis
longtemps déjà, à refouler la partie la plus précieuse de lui-même.

Elle dit qu'après avoir été dépendante du plaisir
donné par l'autre, elle venait de découvrir une
dépendance pire encore : celle du plaisir qu'elle
l'avait vu et senti éprouver dans ses bras et qu'elle
rêvait sans cesse de le voir et sentir éprouver à nouveau... C'était d'autant plus dérisoire qu'elle en
ignorait presque tout. Sûrement avait-il connu et
connaîtrait-il mieux dans ce domaine...

Leurs moments d'intimité avaient été assez bien
pour qu'il s'en souvienne jusqu'à la fin de sa vie,
commenta-t-il laconiquement. « Alors pourquoi

s'en priver ? Pourquoi ne pas essayer à nouveau, ne serait-ce qu'une fois, d'être bien pour être bien, ici et maintenant, sans que cela nous engage ? » s'écriat-elle au bord des larmes, l'inanité de sa suggestion lui apparaissant au fur et à mesure qu'elle la formulait. Elle faisait passer pour simple ce qui ne l'était pas – du moins aux yeux de X. – en réduisant l'intimité qu'elle désespérait de retrouver avec lui au plaisir physique, alors qu'il s'agissait d'amour et que c'était précisément l'amour et son cortège de souffrances dont X. ne voulait pas. En même temps, la frustration qu'elle subissait depuis des mois et que la situation amenait à son paroxysme exacerbait son désir au point qu'il lui semblait que s'il y avait répondu, elle aurait explosé entre ses doigts.

« Pourquoi ne puis-je pas simplement m'allonger à côté de toi ? » continua-t-elle sur sa lancée, bien qu'elle sache la partie perdue et réalise, atterrée, que la première venue aurait eu plus de chances d'intéresser X. qu'elle-même avec ce genre de proposition. « Pourquoi ? répondit-il, s'excusant à l'avance de devoir être brutal face à son insistance. Parce que cela déclencherait en moi une force de répulsion ! »

La bouche affreusement sèche, elle s'agrippa à lui, cherchant à l'encercler de ses bras. Mais il essayait d'échapper à son étreinte et se crispait de plus en plus. Lorsqu'elle lâcha prise, elle vit qu'il pleurait et se demanda si lutter aussi fort contre elle revenait ou non à lutter contre lui-même.

7

Une année durant, elle subit avec un sourire de façade les éprouvantes restrictions voulues par X., dans l'espoir, toujours renouvelé, toujours déçu, qu'elles n'étaient pas définitives. X. ne lui accordait qu'une ou deux soirées par mois, au cours desquelles les propos échangés étaient, pour la plupart, superficiels. Le reste consistait en remarques meurtrières qu'il semblait lancer distraitement et qui la déchiraient pendant des jours et des nuits. Une fois, par exemple, il décréta n'avoir jamais été amoureux. Elle reçut le coup de plein fouet, mais s'efforça de n'en rien montrer, se bornant à exprimer ironiquement le souhait que cela lui arrive bientôt. Une autre fois, il l'accusa de tout ignorer de sa sexualité, précisant à quel point leur relation avait été peu satisfaisante pour lui sur ce plan, que c'était d'ailleurs la raison pour laquelle il l'avait interrompue si vite. Trop occupée à contenir un bouleversement qui accélérait son cœur, glaçait son corps et paralysait sa tête, elle n'avait pas eu la présence d'esprit de demander pourquoi il n'avait pas interrompu pareillement la relation soi-disant platonique, avec la femme qui avait réussi à le retenir plus longtemps qu'elle. Blessée à mort, elle s'était raccrochée à des déclarations antérieures où X. avait laissé entendre tout autre chose. Mais que valait ce qu'il avait ressenti ou reconnu dans le passé, s'il le niait ou se remémorait l'inverse à présent ? À quoi bon dénoncer ses contradictions pour qu'il l'accule davantage, avec des flèches plus empoisonnées encore ?

Plus tard, elle se dit que l'insatisfaction qu'il lui avait jetée à la figure – comme pour reprendre ce qu'il regrettait d'avoir dévoilé de lui-même et gommer l'impression dévalorisante qu'il craignait qu'elle en ait retiré, comme pour se reprendre entièrement – n'était peut-être pas celle qu'elle avait d'abord imaginée. Jusqu'à quel point pourtant pouvait-elle se fier à son propre jugement ? Il était tellement moins éprouvant de penser que X. avait évoqué leur rapport de force, tel qu'il l'avait perçu et déjà déploré, plutôt que la plénitude qu'elle avait imaginé partager avec lui !

Pendant une période, il s'employa à nier de façon tellement systématique ce qui avait eu lieu entre eux, tout au moins à en minimiser l'importance, qu'elle finit par proposer qu'ils cessent de se voir. Pourquoi s'acharner à démolir leur histoire ou le souvenir qu'elle en avait, comme s'il craignait qu'elle n'ait pas encore compris que leur petite aventure était terminée et ne reprendrait plus ? s'enquit-elle sur un ton qu'elle s'appliqua à rendre aussi neutre que possible, afin qu'il la croie plus détachée de lui qu'elle n'était.

C'était pourtant l'impression qu'elle donnait, s'exclama-t-il avec une spontanéité qui lui fit mesurer dans un douloureux vertige le fossé qui les séparait : s'il proposait de renouer ici et maintenant, comment réagirait-elle ? Saisie, car percée à jour et incapable de déceler ce qu'au fond de lui-même X. souhaitait qu'elle réponde, elle resta muette, et il prit son silence pour l'aveu qu'il constituait. Il fallait qu'elle réalise, enchaîna-t-il aussitôt, fort du point qu'il venait de marquer, que s'il allait trop mal actuellement pour assumer une relation amoureuse avec qui que ce soit, il n'envisageait nullement d'avoir à nouveau ce type de relation avec elle, le jour où il irait mieux.

*

Que ne s'en tenait-elle à la froideur ou à la cruauté apparentes de X. ? Si elle l'avait fait, elle s'en serait détachée tellement plus vite. Mais elle l'aimait et l'amour aveugle autant sur certains points qu'il aiguise et affine l'intuition sur d'autres, jusqu'à permettre de comprendre l'être cher mieux que quiconque, mieux que lui-même parfois. Sans doute X. n'éprouvait-il plus aucune attirance pour elle, mais elle percevait trop bien la sensibilité d'écorché vif dont son indifférence affichée était d'abord destinée à le protéger, ainsi que la peur de souffrir et de faire souffrir qui l'immobilisait, atteignant un degré tel, qu'elle l'obligeait à refouler tout ce qui portait en germe la moindre souffrance potentielle. X. assassinait l'amour – l'amour passé, présent, futur –, parce qu'il considérait l'amour comme assassin. Quand comprendrait-il qu'il faisait fausse route et qu'en tuant ainsi ses sentiments, il se tuait lui-même autant qu'il tuait l'autre ?

*

Les quelques amis auxquels elle confiait sa détresse prenaient pour un début de guérison les moments où elle arrivait à bouger, parler, rire, et considéraient comme une rechute ceux où elle redevenait prostrée, se cloîtrant chez elle, volets fermés et téléphone coupé. Ils se trompaient. Son mieux-être était immanquablement le signe d'une régression dans ses fantasmes et dans son refus d'admettre que la page était tournée, parce que quelqu'un ou quelque chose – le plus souvent une attitude ou une phrase de X. – avait relancé son espoir qu'elle ne l'était pas, tandis que ses rechutes correspondaient à une nouvelle perte de cet espoir qui, bon gré mal gré, la poussait plus avant sur la voie étroite et terne du réalisme.

X. s'offrait parfois le luxe de s'ouvrir de sa solitude et de son abattement, et elle en éprouvait autant de réconfort que d'amertume. Réconfort égoïste de savoir qu'il n'aimait personne encore et que la porte derrière laquelle elle s'obstinait à l'attendre n'était pas définitivement close.

Amertume de constater l'immense gâchis de leurs deux vies. X. lui faisait l'effet d'une plante infiniment délicate et rare, que la privation d'eau flétrirait peu à peu, pendant que l'eau pure de l'amour qu'il l'empêchait d'écouler vers lui croupirait avec elle.

*

Il arriva qu'elle puise la force de ne pas le contacter pendant plusieurs semaines, dans la crainte que des souffrances nouvelles ne s'ajoutent à celles qu'il lui infligeait sans le vouloir. Il ne s'agissait pas alors de renvoyer la balle, puisque les attaques et les reniements ravageurs de X. ne s'apparentaient en rien à un sadisme gratuit, mais de tester le besoin qu'il avait d'elle. Lorsqu'il se décida enfin à téléphoner pour demander si elle était fâchée, sa voix mal assurée l'attendrit au-delà de tout, et elle y vit la preuve tant désirée qu'il tenait à elle, si peu que ce fût.

*

X. avait un ami dont il apprit qu'elle lui trouvait beaucoup de charme. Ayant dit jusque-là tout le bien qu'il en pensait, il se mit soudain à insister sur les aspects de sa personnalité qu'il supposait rédhibitoires pour elle, tant et si bien qu'elle en vint à envisager qu'il était peut-être jaloux, malgré tout ce qui dans son attitude et son discours allait à l'encontre d'une telle hypothèse. Elle se garda de jouer avec le feu de l'arme tentante que semblait être cet ami, mais remarqua qu'il suffisait qu'elle l'évoque de temps à autre, pour que le ton de X. change et qu'il se rembrunisse aussitôt.

Les circonstances la firent participer à un dîner, où ce même ami qui ignorait la nature de ses sentiments pour X. s'était rendu accompagné d'une jolie jeune femme, laquelle venait juste de croiser ce dernier et se remettait à peine du choc, tant elle l'avait trouvé à son goût, plaisanta-t-il lors des présentations. Cette allusion transforma sa soirée en un véritable cauchemar. Incapable d'écouter ce qui se disait, elle observait à la dérobée les mines de chatte gourmande de cette rivale inattendue, luttant sans cesse contre l'intime et dévastatrice conviction que rien ne la freinerait pour entreprendre et réussir la conquête de X. – quelque chose dans son attitude ostensiblement provocante évoquait l'ex-compagne de celui-ci.

*

Quand donc – avant ou après cet épisode? –
eut lieu la conversation téléphonique au cours de
laquelle X. lui apprit qu'il avait immédiatement su
leur relation condamnée et que, aussi choquant
que cela pût sembler, il ne l'aurait jamais enta-
mée, s'il n'avait été plus ou moins engagé ailleurs,
en même temps? Car, avait-il ajouté, gêné dans
son élocution par une émotion soudaine, il était
très rare qu'il éprouve un sentiment de bonheur
avec une femme comme il en avait éprouvé avec
elle, et lorsque cela arrivait, la peur de la séparation et de la fin de ce bonheur le détruisait. Aussi
émue que lui et n'osant en croire ses oreilles, elle
avait alors imaginé que si X. l'avait fuie et continuait de la fuir, c'était peut-être parce qu'il l'avait
aimée et l'aimait encore. Elle s'était dit aussi
qu'elle détenait là une clé probable, bien que
désespérément inutile, de sa personnalité : ce
défaitisme dont il l'avait prévenue pourtant – il ne
méritait pas qu'on l'aime – mais auquel elle
n'avait pas pris garde, aveuglée qu'elle était par
son propre sentiment d'indignité à être aimée de

l'homme aussi séduisant qu'attachant qu'elle voyait en lui.

Clé inutile, car elle aurait beau passer sa vie à lui expliquer que les décalages et autres obstacles qui l'arrêtaient ne concernaient pas le plan qui compte le plus, celui de l'« être »... elle aurait beau dire et redire que la loi de l'attirance veut que l'autre soit fort là où on est faible et, dans des proportions équivalentes, faible là où on est fort... beau argumenter que toute relation est condamnée, et que refuser le bonheur parce qu'il génère le malheur revient à refuser de vivre sous prétexte que l'on va mourir, il resterait sourd à son discours tant que quelque chose ou quelqu'un, en dehors d'elle, n'aurait pas calmé les doutes qui le rongeaient et lui interdisaient l'amour avec une femme idéalisée, puisque si une telle femme l'aimait, elle se trompait fatalement de personne. Ne gardait-elle pas en mémoire cette remarque désabusée de X., un jour qu'elle s'étonnait que transparaisse aussi peu la fatigue dont il venait de se plaindre : « Ce n'est qu'une illusion... comme le reste... », avait-il murmuré d'une voix presque inaudible.

*

À certains moments, X. perdait une partie de sa séduction. Son visage devenait bouffi, son teint terreux, son regard éteint. Elle en concevait secrètement une angoisse et un chagrin torturants. Quel était ce mal qui le confinait dans son isolement, l'incitait au laisser-aller, le vieillissait avant l'âge ? Était-ce sa rupture avec cette autre femme qui le minait de la sorte ? Et quelle connexion fallait-il établir entre cette rupture et l'impuissance simultanée de X. vis-à-vis d'elle-même ? Les faits vécus et les propos tenus le montraient clairement pourtant. X. ne pressentait-il pas un danger bien plus subtil dans le bonheur que dans le malheur ? Elle entrevit brusquement qu'il s'était permis d'approcher le feu de l'ange tant qu'il avait été assuré de bénéficier de la glace du diable, ne courant le risque d'un rapport de force apparemment en sa défaveur, qu'à condition d'être couvert par un rapport inverse, apparemment à son avantage. Mais X. s'était probablement trompé dans sa distribution des pouvoirs et son évaluation des enjeux, puisque, en se croyant plus faible que l'ange, plus fort que le diable, il n'avait fait que glisser sur la pente de sa négativité, et qu'en cherchant à protéger son cœur, il avait commencé à perdre son âme.

Que n'eût-elle donné pour ne plus être en proie au trouble qui la submergeait à sa vue, mais dès qu'il enlaidissait de la sorte, elle redoublait d'amour et de désir contenus. X. avait-il la moindre idée du supplice que son ambiguïté lui faisait subir ? Comme ce soir de fin d'été où il passait et repassait la flamme d'un briquet à quelques centimètres de ses doigts, expliquant le froid qui lui gelait les extrémités par des problèmes de circulation. Entendait-il alors ses supplications désespérées derrière les phrases creuses qu'elle débitait pour meubler leur vide ? Elle disait... Que disait-elle ? Rien... Elle ne disait rien ou presque, elle pensait seulement : tu ne vois pas que tu as froid parce que tu as coupé le courant et qu'aucune flamme autre que celle de l'amour auquel tu tournes le dos ne te guérira ? Pourquoi quelque chose d'aussi simple et merveilleux que prendre ta main dans la mienne est-il défendu ? J'ai si froid, si mal, moi aussi... Prends-moi dans tes bras, laisse-moi te prendre dans les miens, te ressusciter... Tu ne vois pas que je suis en train de mourir à tes pieds, que nous nous laissons

tous deux mourir de soif devant la fontaine ? Arrête
cet absurde jeu de massacre… Arrête de t'abîmer…
Je t'aime avec et pour ton ombre aussi… Et le sol se
dérobait sous elle, car elle réalisait de plus en plus
que son amour et sa sollicitude qui auraient dû
réchauffer et élever X. n'avaient réussi qu'à le
refroidir et le rabaisser, ainsi que le prouvait sa pré-
férence antérieure pour le mépris ou la désinvolture
dont sa rivale avait su l'aiguillonner, tant il est vrai,
qu'à court terme, l'hostilité de l'autre est plus
confortable, parfois plus stimulante aussi, que son
amour pour qui ne s'aime pas assez ou pas du
tout…

*

Écartelée entre le bonheur de la présence de X.
et le malheur de sa distance, elle eut l'imprudence
de lui demander quand il s'était senti heureux avec
quelqu'un pour la dernière fois. Cela faisait si longtemps qu'il n'en gardait aucun souvenir, répondit-il
avec un naturel d'autant plus meurtrier qu'il semblait à mille lieues d'en soupçonner les effets. Leurs
derniers moments d'intimité remontaient à une
année à peine et resteraient gravés de façon indélé-

bile dans sa mémoire. « Quand cela arrive, on ne l'oublie pas », avança-t-elle en maîtrisant difficilement le tremblement de sa voix. Sa vie privée stagnait au point mort, se bornant tout au plus à quelques fantasmes banals, poursuivit X., apparemment inconscient de la perche grossière qu'elle venait de tendre. Elle se savait dans le rouge et voyait les signaux d'alarme clignoter de tous côtés, mais sa vague de masochisme l'entraîna à pousser X. plus avant dans la confidence, et il continua de la poignarder innocemment avec des mots, en parlant d'abord des femmes qu'il lui arrivait de croiser et qu'il désirait sans oser les aborder, pour exprimer ensuite sa volonté et son espoir de faire un jour une vraie rencontre. Puis il évoqua la nature complexe de sa précédente liaison. Il avait été attiré par cela même qu'il détestait et s'était épuisé à le combattre. Cependant, bien que la femme en question se fût souvent comportée de la pire façon vis-à-vis de lui, on aurait eu tort de voir trop de noirceur en elle, c'était simplement une instable… Mais elle ne cherchait plus à le suivre, car elle se vidait d'elle-même comme on se vide de son sang, devant la constatation que X. l'avait purement et simplement rayée de sa vie.

*

À bout de patience de la voir souffrir, l'un de ses amis se mit en devoir de lui démontrer la stérilité de sa relation avec X., ainsi que la nécessité de l'exclure radicalement et au plus tôt de son existence. « N'importe quelle salope l'attirera plus que toi, avait-il assené, parce qu'il aura l'impression d'avoir plus à lui apporter qu'à toi. » « Il m'apporte énormément et je ne peux pas me passer de lui », avait-elle balbutié au bord de l'effondrement. « Comprends donc que ce qu'il t'apporte et le genre de besoin que tu as de lui, il n'en a rien à foutre ! » avait poursuivi implacablement son ami, exposant tout ce qu'elle savait déjà sur le poids que devient inévitablement, quand il ne l'est pas dès le départ, le désir d'une femme pour un homme trop désirable et trop désiré qui aspire à faire ses preuves sur un tout autre terrain que celui qui lui est acquis. Or, qu'est-ce que quelqu'un comme X. qui avait tant à prouver encore, pouvait apporter à quelqu'un comme elle, dont les preuves étaient moins à faire ? Rien.

*

Comme pour apporter de l'eau au moulin de cet ami, X. la prévint au même moment qu'il venait d'accepter un travail proposé par son ancienne compagne. Cette nouvelle la révolutionna. Peu de temps auparavant, il avait jugé entièrement négatif le bilan de sa relation avec elle et voilà qu'il replongeait, tête baissée, dans le bourbier dont il avait eu tant de mal à sortir, parce qu'elle avait réussi à le convaincre qu'il était le seul à pouvoir mener à bien une affaire soi-disant de la plus haute importance pour elle et son avenir.

Elle s'efforça de dissuader X. de se lancer dans une entreprise vouée à l'échec, mais il ne voulut rien entendre, et elle admit qu'il ne pouvait guère laisser passer une telle opportunité de prendre sa revanche sur celle qui avait si bien su dénoncer ses faiblesses et en jouer. X. avait un passif trop lourd à liquider, des comptes trop importants à régler avec elle. Le souvenir des douches écossaises qu'il avait subies le meurtrissait encore. Comment, malgré les leçons apprises, ne se serait-il pas emparé de la carotte d'un rapport de force à nouveau en sa faveur, même si c'était là le moyen probable pour l'habile manipulatrice qui la lui tendait, de relancer la partie qu'elle n'acceptait pas qu'il ait abandonnée ?

Elle fut prise alors entre deux feux. Celui de son amour, qui l'incitait à souhaiter la réussite, vitale pour l'équilibre de X., de ce projet, et celui de sa jalousie, qui lui rendait insupportable tout succès l'associant à une femme dont la seule évocation lui faisait mal – bien qu'il s'en dise et en paraisse détaché –, insupportable l'idée qu'il se surpasse pour elle parce que leurs intérêts seraient liés, et lui consacre à cet effet le maximum de son temps, son énergie et ses idées, alors qu'il continuait à tellement la frustrer elle-même de sa présence. Par ailleurs, il avait si souvent été rapporté que cette femme ne lâchait pas prise et était capable du pire pour parvenir à ses fins que, malgré les propos désormais dépréciateurs de X. à son sujet, donnant à penser qu'il ne marcherait plus aux mensonges, chantages et violences dont elle l'avait abreuvé, on restait en droit de redouter ce qu'elle ne manquerait pas d'inventer pour lui nuire et l'humilier, si elle réalisait qu'elle l'avait définitivement perdu.

*

Les choses traînèrent en longueur et les tourments inhérents à cette affaire n'eurent finalement aucune répercussion sur la fréquence et sur la qualité de ses rapports avec X. Au fond, toute son année fut ponctuée par les rares rendez-vous qui ensoleillaient les quelques jours les précédant, et dont elle se remettait à grand-peine ensuite, tant à cause des phrases assassines qui échappaient à X. une fois sur deux, que du désir de lui qui s'exacerbait à sa vue. Combien de nuits passa-t-elle à murmurer son prénom et brûler du feu d'étreintes imaginaires qui lui procuraient des sensations presque aussi fortes que si elles avaient été réelles ? Peu à peu, elle en arriva à prendre goût à l'existence fantasmatique qui la coupait de plus en plus du monde extérieur pour l'enfermer dans un rêve lui donnant libre accès au cœur de X. Un rêve où elle avait tout loisir de lui parler, de le contempler, de l'aimer...

Leur dernier tête-à-tête eut lieu chez lui. Tous deux avaient mis leur déguisement d'amabilité convenue, sauf qu'il était destiné à dissimuler l'excès de passion chez elle et l'absence de passion chez lui. À un certain moment, il s'était allongé sur la moquette comme il le faisait souvent, et elle s'était sentie dédoublée entre la partie d'elle qui se mourait de ne pas avoir l'audace de transgresser les interdits de X. pour se rapprocher de lui, et l'autre partie, spectatrice déroutée de l'homme qui, conscient de la séduction qu'il exerçait sur elle, se comportait comme s'il voulait la mettre à l'épreuve en prenant des poses dont l'ambiguïté troublait d'autant plus qu'elle n'était pas de mise dans le cadre relationnel qu'il avait lui-même redéfini. Pourtant, malgré les apparences, il n'y avait pas une once de perversité chez X., une partie de son charme tenant précisément à ce qu'il était doté de la grâce de l'animal ou de l'enfant, et semblait en user de façon innocente, sans l'ombre d'un calcul…

Et puis le téléphone avait sonné. Une sorte d'harmonie régnait entre eux à cet instant précis que, telle une fausse note, la sonnerie était venue briser. « Je ne veux pas répondre, je ne veux pas répondre », avait dit X. en serrant les poings et fronçant les sourcils. Mais il avait décroché. À cause de l'heure tardive, de la teneur de sa réponse et du ton méprisant sur lequel il s'était exprimé, elle avait imaginé, à tort ou à raison, que la personne au bout du fil était une femme à qui il accordait, justement parce qu'il la méprisait, ce qu'il lui refusait à elle depuis si longtemps. Il était revenu s'asseoir et elle avait été frappée par le contraste entre l'agressivité qui venait de lui montrer X. sous un jour si différent de celui qu'elle connaissait, et la gentillesse, les égards qu'il lui manifestait à présent. Elle s'était efforcée de ne rien trahir des émotions qui l'agitaient, mais le charme était rompu, et pas seulement celui de leur soirée. Elle n'avait pas tardé à prendre congé.

*

Depuis des mois, elle ne tenait que grâce aux allusions fréquentes et résignées de X. à son absence de vie personnelle, parce qu'elle y puisait l'espoir tenace qu'il n'avait pas dépassé son ambivalence attirance-rejet vis-à-vis d'elle, et qu'il n'était pas tout à fait exclu que l'attirance triomphe miraculeusement du rejet quelques petites fois encore... Et voilà que tout s'écroulait. Voilà qu'un simple coup de fil – peu importait qu'elle se fût ou non trompée sur sa teneur – atteignait soudain son talon d'Achille, lui faisant brutalement franchir l'abîme qui sépare l'imaginé du vécu. Car le calvaire qui était le sien à l'idée que X. donne à une autre, même méprisée, ce dont il la frustrait elle – l'éblouissement de son intimité, du désir et du plaisir partagés –, ce calvaire-là était au-dessus de ses forces. Elle se faisait horreur, elle avait envie de se vomir, envie de mourir, puisque seule la mort aurait le pouvoir de l'arracher à ce qu'elle était et ne voulait plus être. Elle était bonne, elle était un ange, il l'aimerait toujours, avait dit et écrit X. Mais que n'était-elle mauvaise, que n'était-elle une diablesse, si c'était ce qu'il fallait pour qu'il la désire et la touche enfin.

Alors, elle qui avait tellement cru en la possibilité de sublimer l'amour sans limites dont elle se consumait pour X., tellement pensé que la douleur de devoir se contenter de son amitié ne serait rien, comparée à celle d'être totalement privée de lui, sut qu'elle s'était trompée. C'est en larmes qu'elle écrivit la lettre de rupture où elle abattait ses cartes une ultime fois, parlant de l'épreuve qu'avait été chacun de leurs tête-à-tête, dévoilant les efforts qu'elle avait dû faire pour entrer dans la relation qui lui convenait à lui, non seulement parce qu'elle avait besoin de le voir et espérait parvenir progressivement au détachement souhaitable, mais aussi parce qu'il semblait seul et démuni. Or, confessait-elle, elle n'était pas parvenue à se détacher et, aujourd'hui qu'il donnait l'impression d'être moins seul, elle ne se sentait plus retenue par de suspectes raisons altruistes. Aussi, son seul recours était-il de renoncer à le voir. Cette décision lui coûtait, mais elle se trouvait dans la situation du malade qui se résout à passer sur la table d'opération, parce que les thérapies douces n'ont rien donné. Elle avait essayé de toutes ses forces de se plier à sa demande, concluait-elle, parce qu'elle l'aimait et craignait de l'aimer longtemps encore, quand bien même elle ne le verrait plus de sa vie...

8

Nous avons tenu quelques semaines. Une amie qui t'avait croisé te trouva la mine défaite et me le rapporta. Mais à quoi attribuer une mine défaite ? Au malheur, à la pleine lune, à une crise de foie ? La pensée, le mal de toi, ne me lâchaient pas et je puisais la force de résister à la tentation de t'appeler dans l'espoir que plus je résisterais, plus j'aurais quelque chance que tu te manifestes. Jusqu'à ce que je craque et revienne sur mes déclarations d'ivrogne. Je m'étais trompée : mieux valait te voir amicalement que pas du tout. Tu m'écrivis au même moment, rendant les armes toi aussi. Tu parlais de ton isolement de plus en plus insoutenable, absurde… Et à ma lettre de rupture où je confessais que la souffrance de ne pouvoir ne serait-ce que poser ma tête sur ton épaule sans penser à rien me tuait, tu répondais que puisque j'étais morte, nous avions, en quelque sorte, dépassé le point critique et pouvions donc essayer de nous laisser aller sans plus penser à rien… – si je voulais bien…

*

Oh, je n'ai pas imaginé que nous tomberions dans les bras l'un de l'autre quand nous nous reverrions. Je te connaissais assez pour prévoir le bombardement en règle de signaux négatifs qui ne manquerait pas de succéder à ton avancée, et cela m'a presque amusée de constater tes efforts d'inélégance, d'entendre tes plaintes à propos de ta fatigue, de voir que la distance que tu mettais entre nous avait encore augmenté. Je n'avais pas besoin de tous ces feux rouges pourtant, puisque je savais le pouvoir de tes peurs et les retours en arrière, les obstructions qu'il ne manquerait pas de déclencher à nouveau. Rien ne me garantissait d'ailleurs que depuis ta lettre, ce pouvoir n'avait pas déjà repris le dessus et, dans le doute, je ne pouvais me permettre le moindre pas vers toi. C'eût été considérer ton invite comme acquise et risquer d'éteindre la lueur incertaine qu'elle avait fait briller…

L'AMOUR FOU

*

La première fois, je suis donc restée sage et je t'ai quitté avec le sentiment de satisfaction que l'on éprouve quand on a eu la force de respecter la ligne de conduite imposée par la raison, dans l'espoir que cela portera, à moyen terme, quelques fruits. Mais les fois suivantes, ton attitude ne varia guère, comme si rien n'avait changé ni ne changerait jamais, et je recommençai à m'enliser dans le désespoir. Et puis, un soir où l'on dînait ensemble – peut-être avais-tu lâché l'une de ces phrases assassines dont tu as le secret, peut-être était-ce le soir où tu évoquas le charme d'une amie de province, laissant entendre qu'il ne te serait pas désagréable de te lier davantage à elle un jour –, ce désespoir est devenu si aigu que j'ai dû prendre congé de toi plus vite que d'habitude. Mais une fois dans l'ascenseur, la souffrance me soûlait au point que je ne m'appartenais plus. Impossible de penser, impossible de ne pas céder à la brusque impulsion de remonter sonner à ta porte...

Avais-je l'air aussi honteuse, malheureuse et ridicule que je me sentais l'être ? J'ai lu dans ton regard une gentillesse étonnée et inquiète. « Qu'est-ce qui se passe ? » as-tu demandé. Et moi, défaillante, le cœur battant à se rompre : « Ça ne va pas, ça ne va pas du tout… » Tu m'as pris la main et traînée jusqu'au canapé où tu t'es assis à côté de moi. Ta main n'avait pas lâché la mienne, répondant à ses pressions… Ma tête a glissé sur ton cœur… Et quand je t'ai demandé l'autorisation de t'embrasser ici et là, tu me l'as accordée avec le sourire… Tant de temps, tant de souffrance, alors que le bonheur semblait si simple. Cela faisait une éternité que tu ne m'avais pas laissée t'approcher.

Tu paraissais à la fois désarmé et content. Il fallait espérer, lâchas-tu soudain, que nous serions un jour récompensés d'avoir autant souffert. Avais-je bien entendu ? Tu souffrais donc toi aussi, et d'un mal comparable au mien ? J'avais l'impression de me réveiller d'un cauchemar, je nageais presque dans la félicité. Et puis ton parfum, la douceur de ta peau, cette grâce singulière, ce mélange de délicatesse et de virilité qui émanait de toi… Comment ne pas te désirer ? J'ai fait un léger geste que tu as écarté en décrétant qu'il était inconcevable que tu ailles jamais plus loin. La douleur de ta nouvelle exécution avait beau être atténuée par tout ce que tu venais de m'accorder et qui me semblait dépasser le stade de la pure tendresse, j'ai réagi en disant que le jour où tu aurais quelqu'un dans ta vie, j'en disparaîtrais. Que tu sois seul ou non, tu voulais continuer de me voir aussi longtemps que tu vivrais, te récrias-tu. Étrangement, la perspective de vivre avec une autre femme semblait revêtir moins d'importance à tes yeux que celle de me perdre. Tu étais si étrange, si désarmant... Mais moi je savais bien qu'un jour tu tomberais amoureux et que ce jour-là, il te deviendrait indifférent de ne plus me voir.

*

Tu n'es pas allé plus loin en effet. Ni ce soir-là ni les rares suivants. Et puis il m'a fallu partir à l'autre bout du monde et je t'ai suggéré de m'accompagner. Les raisons autres que personnelles ne manquaient pas et auraient dû suffire à te convaincre, mais ce voyage constituait une trop belle opportunité de m'offrir le luxe de ta présence et tenter d'en abuser. Que n'a-t-il fallu pour calmer tes appréhensions ! Comme des enfants, nous sommes allés jusqu'à conclure un pacte qui consistait à ne pas m'approcher de toi de plus d'un mètre pendant la durée du séjour. Et quand, à demi rassuré, tu as enfin dit oui, je ne me suis pas tenue de joie. Voyager avec toi, te voir chaque jour, cela n'était jamais arrivé, et moi qui déteste les voyages, j'ai été pour la première fois de ma vie impatiente et heureuse de partir. Malgré ce pacte qu'à l'avance, je me faisais un point d'honneur de respecter.

Le voyage lui-même a été un enchantement. Connaissant ma peur de l'avion, tu t'ingéniais à me distraire avec des cocasseries qui me faisaient rire à gorge déployée. Il était inutile que tu te mettes en quatre pourtant : je n'avais plus peur de rien puisque tu étais à mes côtés. Mais quand tu t'assoupissais et que je ne pouvais détacher mes yeux de ton visage, mon cœur se déchirait un peu plus. N'avais-tu donc aucun défaut auquel je puisse me raccrocher pour me sentir un peu plus à ta hauteur ou parvenir un jour à me détacher de toi et moins souffrir ?

Une fois sur place, je n'ai pas tardé à réaliser que j'avais présumé de ma force. Car il en fallait de la force pour te souhaiter bonne nuit avec le sourire, te tourner le dos et regagner ma chambre éloignée d'à peine quelques mètres de la tienne. J'ai battu mes records d'insomnie, fixant le plafond ou me tournant et retournant dans mon lit, torturée par ce besoin de toi qui ne se calmait pas. Mais demain serait un autre jour, et c'était un vrai bonheur que de te réveiller chaque matin et commander ton petit déjeuner, comme tu m'en avais confié la mission. Lorsque tu franchissais le seuil de ma porte, les paupières encore gonflées de sommeil, ton sourire illuminait mieux qu'un soleil la pièce que ton absence venait, les heures précédentes, d'assombrir infiniment plus que l'obscurité de la nuit.

*

Nous avons été invités un soir dans un restaurant exotique où s'activaient quelques jeunes femmes, dont l'une était pire que belle. Il y avait en elle quelque chose d'extraordinairement farouche et fier, ainsi que ce fascinant mélange de douceur et de dureté qu'il y a aussi chez toi et qui rend fous ceux qui s'en approchent trop près. J'ai pensé que vous étiez de la même race. Deux pur-sang, deux félins, magnifiques, indomptés et indomptables – sauf l'un par l'autre peut-être –, au-dessus de la mêlée… Que vous étiez dignes l'un de l'autre, faits l'un pour l'autre, et l'aviez tout de suite su. Vous ne pouviez pas ne pas vous être remarqués, ne pas vous être reconnus… Elle se mettait discrètement dans ton champ de mire puis venait remplir ton verre, te frôlant – avec quelle légèreté ! – de son souffle et de la soie de sa robe. Te sentant tout à coup distant et tendu, j'ai cru voir dans ton regard cette intensité particulière qu'y met le désir. Je me serais damnée pour ce regard-là et ne pas te l'inspirer me détruisait.

*

Aujourd'hui, je me demande quelle était la part de la réalité et celle de mon imagination ? Combien de fois auparavant ne m'était-il arrivé de fantasmer moi-même toute une soirée sur un inconnu qui ne pouvait que le rester, et que j'oublierais radicalement quelques jours plus tard, ou trouverais insignifiant si l'occasion m'était donnée de le revoir dans un contexte autre que celui, propice à la rêverie, de certains lieux nocturnes avec leurs lumières tamisées et leurs vapeurs d'alcool ? Cette belle et sombre étrangère, n'était-ce pas moi, bien plus que toi, qui avais été attirée par elle, justement à cause de cette mystérieuse ressemblance entre vous ? Vous étiez de ceux qui détruisent l'amour mais que l'amour ne détruit pas... Du moins m'apparaissiez-vous ainsi... Peut-on être attiré par son pareil ? Le pouvais-tu ? Ne m'avais-tu pas quittée une première fois pour une femme aux antipodes de toi, dont je n'aurais jamais soupçonné qu'elle puisse te plaire, pour la seule et stupide raison que j'étais insensible à sa séduction ?

*

Je ne me souviens plus de ce qui m'a fait rire le soir de notre arrivée dans un site touristique, lorsque je suis passée dans ta chambre après dîner, pour te rendre compte de ma séance avec le masseur trop énergique de l'hôtel et te le déconseiller. J'avais commencé à me moquer gentiment de toi et ma mise en boîte a vite tourné en une sorte de jeu du chat et de la souris – tu étais la souris, bien sûr – qui s'est terminé dans tes bras et dans ton lit. Je ne me rappelle pas dans les détails non plus ces retrouvailles dont j'avais tant désespéré, sinon que j'avais le trac – cela faisait si longtemps qu'il ne m'arrivait plus rien –, sinon que baignant ensuite dans un indescriptible océan de bonheur, j'en avais perdu le réflexe de me préparer au choc en retour auquel j'aurais pourtant dû m'attendre.

*

Nous avons dîné le lendemain dans ta chambre et quand tu t'es installé devant la télévision qui diffusait un vieux film américain doublé dans la langue, incompréhensible pour nous, du pays, j'ai essayé de parer à ta façon de couper le contact par un massage de la nuque dont je te savais friand. Tu t'es laissé faire en effet, jusqu'à ce que j'aille un tout petit peu plus loin, un tout petit peu trop loin. Un baiser dans le cou a suffi pour que tu passes sans transition de la fermeture tacite à l'hostilité déclarée et m'assènes ta haine à coups de mots qui gomment, de mots qui tuent. Ainsi, parce qu'il s'était passé la veille ce qui s'était passé, il faudrait que ça se passe encore ? Déchaîné, tu crachais un venin si efficace que mon cerveau, court-circuité par l'émotion, a oublié en partie ce que tu disais. Je ne tenais plus debout et j'ai dû m'étendre sur le lit. Mais cela n'a contribué qu'à redoubler tes attaques. Chaque phrase frappait mieux que la précédente et je n'étais plus qu'un cadavre sur lequel tu t'acharnais aussi sauvagement qu'inutilement. Tu n'éprouvais rien pour moi, affirmais-tu, la parenthèse de la veille avait été provoquée par mon forcing, il était hors de question qu'elle se produise à nouveau. Mes jambes se sont mises à trembler, et j'ai craint que tu ne t'en aperçoives. Il n'était pas dans mon tempérament de faire du forcing avec qui que ce soit, ai-je fini par balbutier, je ne me serais pas laissée aller à certaines audaces, si tes attitudes contradictoires ne m'avaient fait parfois imaginer que ce n'était pas tant de moi que tu cherchais à te défendre, que de toi et de tes sentiments.

Tu as éclaté en sanglots, bruyants, incoercibles. J'étais stupéfaite. Obligée pour ma défense d'exprimer des doutes qui ne pouvaient que t'insupporter et t'inciter à m'agresser davantage encore, avais-je sans le faire exprès touché ton talon d'Achille ? J'aurais voulu te prendre dans mes bras, te consoler, mais tu m'as repoussée de plus belle et as couru te laver la figure dans la salle de bains où je t'ai suivi comme un petit chien. J'étais partagée entre mon impuissance à arrêter ton hémorragie et l'intuition confuse, à laquelle je n'osais croire, que tes pleurs signaient un infime sursis à la condamnation à mort que tu venais de prononcer et qui poursuivait à l'intérieur de moi son travail de sape : tu ne m'aimais pas, tu ne me désirais pas...

Le calme revenu, tu as remarqué l'heure tardive et m'as conseillé d'aller me coucher. Regagner ma chambre était au-dessus de mes forces dans l'état de malheur où je me trouvais. Tu l'as compris et m'as proposé de m'allonger à tes côtés, à la condition expresse que je ne cherche à obtenir rien de plus. Je n'en espérais pas tant. Je n'avais jamais eu le privilège de passer une nuit avec toi et cette perspective était bien la seule susceptible de m'apaiser quelque peu.

De là à dormir... Toi non plus tu ne dormais pas. Lorsque tu t'es plaint de la chaleur, cela faisait un long moment que, les yeux grands ouverts dans le noir, je m'efforçais d'effacer tes phrases les plus dures pour ne plus être que dans l'ici et maintenant de ta présence. Pourquoi ne te déshabilles-tu pas ? ai-je suggéré distraitement. Tu t'es exécuté et as cru nécessaire de préciser qu'il s'agissait uniquement de dormir. Mais ton insistance était superflue. Comment aurais-je pu espérer autre chose après l'orage qui venait de nous fracasser ? Une seconde plus tard pourtant, nous étions dans les bras l'un de l'autre.

*

Le retour était pour le surlendemain. Je te revois le matin de notre départ. Tu venais de lire le mot excédé que mon insomnie m'avait fait rédiger puis glisser à l'aube sous ta porte. Je ne pouvais concevoir que tu aies refusé de m'accorder, non cette dernière nuit – je n'étais pas insatiable ni utopiste à ce point –, mais le quart d'heure de tendresse qui me l'aurait rendue plus douce. Pour toi, par contre, il était impératif de te ressaisir et d'éviter à tout prix les situations comportant le moindre risque de récidive. Tu te tenais devant moi, les bras ballants, l'air contrit et désemparé. Ma hargne a instantanément fondu et j'ai serré contre mon cœur l'irrésistible adolescent que tu es en partie resté. Je comprenais bien que tu n'avais pas le choix, que tu étais ta première victime, mais j'aurais tant voulu que mes arguments, en te démontrant l'absurdité de tes attitudes, amènent chez toi le changement qui nous aurait permis à l'un comme à l'autre, de vivre un peu plus, un peu mieux, d'être un peu moins malheureux…

*

Dans l'avion, tu as repris le ton léger et pétillant de l'aller, et je m'interdisais de penser au moment fatidique où nous devrions retrouver nos solitudes respectives, pour ne pas gâcher la plénitude des quelques heures le précédant. Ta gaîté était-elle due à la fin de l'épreuve qu'avaient peut-être représenté pour toi ces quelques semaines, au besoin de dédramatiser la séparation proche, ou à une insouciance ponctuelle ? La même couverture nous enveloppait jusqu'à la taille et ta main, glissant à l'intérieur de mon jean, est soudain venue se poser sur mon ventre. J'ai fermé les yeux pour mieux savourer mais aussi contenir les sensations déclenchées par tes caresses, et qu'intensifiait la surprenante audace de ton geste.

Tu ne pouvais aller au bout de rien. Tu n'as pu aller au bout de cet instant, ne serait-ce qu'en gardant le silence. Il a fallu que tu en désamorces la magie, que le petit garçon revienne en force éteindre d'une pichenette le feu que l'homme venait d'allumer. Tu avais voulu vérifier, disais-tu, si j'avais le ventre aussi gonflé que je le prétendais parfois. Nous n'avions fait que jouer au docteur et seule une hystérique aurait été assez tortueuse pour voir de l'érotisme là où il n'y avait que curiosité innocente et taquine. J'ai alors réalisé que si je trouvais tes mains aussi émouvantes que belles, c'était parce qu'elles exprimaient tes contradictions et l'ambiguïté en résultant. Les paumes larges et fortes étaient d'un adulte, mais les doigts un peu trop fins et courts évoquaient ceux d'un enfant, alors que leurs jointures, étrangement noueuses, incitaient à se demander s'il n'y avait pas en toi quelque chose de prématurément vieilli, de déjà sec…

De quoi avais-tu le plus peur ? De ton pouvoir sur moi ou de mon pouvoir sur toi ? De leur renforcement mutuel ? Quelle sorte de dépendance supportais-tu le moins ? La mienne ? La tienne ?

Notre histoire ressemblait à un jeu de l'oie où des dés pipés auraient perpétuellement ramené à la case départ. Pour que la partie ne se termine jamais peut-être ? Mais personne ne jouait, toi pas plus que moi, nous nous débattions, nous nous battions : contre nous-mêmes, contre nos ombres... C'était une question de vie ou de mort. À tort ou à raison, tu voyais ta mort dans un amour qui voulait t'apporter la vie, tandis que j'attendais la vie d'un amour qui m'entraînait vers la mort.

Je n'ai pas réagi et le voyage s'est poursuivi dans la bonne humeur. À quelques heures de l'arrivée, sentant l'angoisse me gagner, je t'ai donné de quoi écrire pour que tu improvises quelques lignes que je lirais chez moi. C'est la légère blessure infligée par ton refus qui m'a poussée à accepter l'invitation réitérée de l'hôtesse, et qui ne m'amusait guère, d'aller dans le cockpit. On m'avait avertie que je devrais regagner mon siège avant l'atterrissage, ce qui m'assurait de passer à tes côtés les précieux derniers instants de notre escapade et réduisait de moitié la punition consistant à me priver d'un peu de ta compagnie, dans le but incertain de te punir aussi. Mais l'équipage m'a gardée, malgré moi, jusqu'à l'arrêt des réacteurs et lorsque je t'ai enfin rejoint, tu me battais froid. Dans le taxi qui te déposerait le premier, tu es sorti de ton mutisme pour me faire remarquer que tu boudais, ce dont je feignais de ne pas m'apercevoir, et je me suis sentie secrètement partagée entre l'exultation où me mettait cette marque de non-indifférence, et mon déchirement grandissant à l'idée de la privation de toi dont chaque tour de roue me rapprochait davantage.

*

Sauras-tu jamais ce qu'il m'en a coûté de rester trois interminables journées sans t'appeler ? D'un côté j'étais retenue par l'appréhension d'aggraver ta prévisible rétraction et du mal qu'elle m'aurait fait, de l'autre j'étais poussée par mon état de manque aigu. J'ai tenu bon et c'est toi qui m'as téléphoné le troisième jour à une heure inhabituelle, tard le soir. Avais-tu espéré mon coup de fil jusque-là ? J'ai cru entendre dans les inflexions de ta voix un curieux mélange de stupéfaction, de reproche et de détresse qui m'a infiniment troublée. Comme ta récente bouderie le suggérait déjà, nos derniers rappro-chements avaient-ils ouvert une brèche dans la carapace que tu prétendais être toi et qui menaçait de le devenir ? L'amour que tu niais si obstinément venait-il de te trahir ? Il m'arriverait de me demander par la suite si le désarroi apparemment suscité par mon silence n'avait pas justifié, le renforçant du même coup, ton refus d'aimer, au moment précis où il commençait à perdre du terrain, mais où il suffisait d'une erreur infime pour que le fragile équilibre des forces se retourne à nouveau contre nous.

9

Des brumes de mes souvenirs de la période qui suivit, où chaque rapprochement entraînait une rétraction, chaque renaissance une mise à mort, émergent dans le désordre certains moments forts, auxquels je livre une chasse à l'issue incertaine. Je voudrais les fixer avec des mots comme on épingle les papillons, pour que leur coloration particulière et leur beauté, même mortes, ne se désintègrent pas tout à fait…

*

Il y eut cet après-midi où tu me donnas un aperçu du travail que tu préparais. Le résultat me parut si insuffisant que l'angoisse que tu n'arrives pas à t'en sortir, doublée de celle, indissociable, que notre relation n'aille qu'en empirant, m'accabla alors. Ta crainte de ne pas être à la hauteur, amplifiée par ma visible consternation, te dévalorisait au point que j'avais pensé que tu ne serais pas en mesure de me toucher ce jour-là. Mais ma logique n'était pas la tienne. Toi que la peur de ta médiocrité obsédait tant, as-tu cru que je venais d'en avoir la révélation ? As-tu craint que je t'aime moins, que je te lâche ? Ou bien as-tu éprouvé un sentiment de libération parce qu'en te montrant tel que tu te voyais toi, dans ta pauvreté, tu brisais en quelque sorte ma pesante idéalisation ? Tu t'es mis à m'embrasser doucement, longuement. Tu n'en finissais pas et j'aurais voulu que tu n'en finisses jamais. Quand j'ai ouvert les yeux, tu caressais mon visage, avec dans le regard une expression d'amour si éperdu, qu'une partie de moi n'a cessé depuis de douter de cette bouleversante vision.

*

Tu restas aussi restrictif pourtant quant à la fréquence de nos rendez-vous, et lorsque je te revis, une quinzaine de jours plus tard, la donne avait déjà changé. Tu me laissas faire, mais avec une telle tiédeur, ne répondant à aucune de ces questions que l'on pose parfois au cœur de l'intimité, détournant la tête lorsque je m'approchais de toi, que je partis terrassée par le chagrin. Qu'est-ce qui en moi déclenchait à nouveau ton dégoût, qu'est-ce qui transmutait l'or en plomb, l'amour en indifférence, l'attraction en répulsion ? Comment ? Pourquoi ? Jusqu'à quand ? J'aurais dû prendre d'emblée plus de distance que toi encore, ne plus te donner signe de vie, ne plus être joignable avant longtemps... Mais non... J'étais de ces victimes nées qui ont la faiblesse de se cramponner à l'espoir illusoire que leur bourreau devienne leur sauveur et tendent passivement l'autre joue, incapables moins d'imaginer que d'effectuer le simple changement d'attitude qui suffirait peut-être à renverser la vapeur... Il a fallu que je téléphone, comme si je ne savais pas d'avance que tu te ferais un malin plaisir de confirmer mes pires appréhensions. Tu ne pouvais nier qu'il y avait une réticence de ta part et ignorais s'il s'agissait d'un processus irréversible... L'effet que j'exerçais sur toi n'était pas aussi constant ni de même nature que celui que tu exerçais sur moi... Cela ne changeait du reste pas grand-chose à ton mal-être que l'on se voie ou non... Les moments de rapprochement avaient été agréables... Sans plus... Tu ne connaissais pas l'état d'esprit qui consiste à se sentir heureux parce qu'on est amoureux de quelqu'un et qu'on y pense sans cesse… Il fallait que je me fasse une raison. Tu n'étais ni ne ressentais ce que je voulais que tu sois et ressentes…

*

Te voir de temps à autre continua cependant d'être une fête. Tu me demandais parfois de te masser et pour ne pas être privée de ce bonheur-là, je me gardais de profiter de la situation. Je n'avais d'ailleurs droit qu'à ta nuque, mais j'adorais que tu te remettes entre mes mains et t'en trouves bien. Tu t'allongeais sur le canapé et fermais les yeux, me permettant ainsi d'emplir les miens de ton charme qui me confondait, me ravissait toujours autant, toujours plus, mais déclenchait toujours aussi un désir dont les vagues chaudes me parcouraient et me dilataient le corps à ton insu. Je devins peu à peu dépendante du plaisir presque pervers que j'éprouvais à jouer avec le feu, en amenant la montée de mon excitation au point limite où la contention l'entretient tout en l'empêchant de déborder.

*

Je me rappelle cette fois où, après avoir vainement sonné chez toi, je tentai de calmer mon
inquiétude en me persuadant que tu avais dû faire
une course imprévue et ne tarderais pas à rentrer.
Au bout d'un moment, croyant percevoir un léger
bruit à travers le mur, je sonnai à nouveau. Tu
t'étais assoupi, prétextas-tu en ouvrant la porte, et
ne te souvenais d'aucun rendez-vous. Le téléphone
retentit alors et quand je t'entendis proposer à la
personne au bout du fil de la rejoindre sur-le-
champ, la douleur de constater comme je comptais
peu pour toi me rendit violente. Je criai les mots les
plus durs qui me passèrent par la tête et partis en
claquant la porte, sans prendre garde à ton expression d'affolement. Une fois dans ma voiture, je restai, hébétée, la tête sur le volant, jusqu'à ce que tu
passes et me tendes ta clé. C'était reculer pour
mieux sauter. Dès ton retour, tu me récitas avec
véhémence les couplets que je savais par cœur sur
ton indifférence à mon égard, agrémentés d'une
information inédite, celle de la priorité absolue que
tu accordais à tes amis. Le sens profond de ton
regard affolé lors de ma perte de contrôle m'avait

échappé et ne m'apparaîtrait que plus tard. Il était clair que tu souffrais trop pour te permettre de faire ou voir souffrir l'autre, ton unique recours dans un tel cas étant de piétiner la racine du mal en niant l'amour de toutes tes forces.

*

Et puis j'appris que ton amie de province, celle qui te plaisait tant, venait te voir et je fus convaincue que la dernière heure de notre relation était arrivée. Les discours que tu avais si souvent tenus sur ton espoir de rencontrer le grand amour avec une femme qui ne pouvait être moi, ainsi que tes confidences sur la séduction de cette amie et la disponibilité dans laquelle tu te sentais vis-à-vis d'elle, me revinrent en mémoire. Je retombai dans les abîmes de souffrance qui étaient mon lot depuis que je t'aimais. Comment ai-je survécu à ces quelques semaines où, tous ponts coupés entre nous, je t'imaginais dans des bras inconnus ? Comment, lorsque tu téléphonas enfin, ai-je pu prendre mon ton le plus naturel pour te faire croire que j'allais bien ? Quand je demandai négligemment si tout s'était bien passé avec ton amie, tu t'esclaffas. Tu avais été parfaitement lamentable. Ta mauvaise humeur et tes plaintes l'ayant vite découragée, tu avais dû la ramener de bonne heure à son hôtel.

*

Je me suis souvent remémoré la soirée où un état de grâce qui te rendait plus attirant que jamais balaya ma peur de ton rejet et de ses suites redoutables. Nous écoutions de la musique, lorsque je commençai à parler de mon désir, et cette audace-là, doublée de celle qui consistait à braver tes interdits et à ignorer tes reniements, intensifia le flux de sensations qui m'avait envahie. Mon envie de toi était telle, murmurai-je, qu'elle ne pouvait être à sens unique... Tu m'enjoignis de me taire, arguant que la musique couvrait ma voix. « C'est exactement ce qu'il faut pour lever mes dernières inhibitions », dis-je en riant. Et je continuai sur ma lancée, observant ton profil à la dérobée. Quand je vis qu'il s'était légèrement durci et que tu avais fermé les yeux, je sus que tu ne résistais plus. Quand enfin je me trouvai contre toi et que tu sentis la violence du courant qui m'emportait, la douceur avec laquelle tu m'entouras de tes bras et caressas mes cheveux en faisant chhh comme pour essayer de me calmer abolit soudain l'espace et le temps. Le mur de ta froideur était tombé… Il n'y avait plus que ce vertigineux contraste entre la maîtrise tendre de tes gestes et ton désir que je sentais grandir et palpiter, amenant le mien à son paroxysme. Que pesaient mes innombrables descentes aux enfers passées et futures, à côté de cet instant de paradis ?

*

Tu t'étais déjà repris bien sûr, lorsque nous partîmes ensemble un week-end. Je garde en mémoire le trajet dans la limousine qui nous ramenait d'un ennuyeux dîner d'affaires. Nous étions installés à l'arrière, aussi éloignés l'un de l'autre que possible. Tu somnolais, et je subissais plus que jamais la torturante fascination de ton intouchable beauté d'ange endormi. Je me disais que tu étais l'homme le plus désirable, le plus aimable au monde, mais que n'importe laquelle des femmes susceptibles de te plaire te troublerait davantage que moi qui t'étais la plus acquise de toutes. Je me disais aussi que chaque jour qui passait te rapprochait de celle qui serait assez forte – ou assez faible – pour te résister

et susciter ainsi un désir et un amour qui te met-
traient en pièces, puisqu'il ne faisait pas de doute
que nous étions aussi fragiles, aussi aptes à mourir
d'aimer l'un que l'autre, simplement nous aimions
qui ne nous aimait pas ou réussissait à nous le faire
croire. Je t'aimais trop pour que tu m'aimes et il
était, pour moi comme pour toi, d'une criante évidence que ta vie amoureuse n'avait pas encore vraiment commencé et qu'elle te réservait des moments
autrement exaltants que ceux que tu avais connus
jusque-là.

D'un geste sec, je t'ai jeté à la figure la rose qui
m'avait été offerte au restaurant. Tu as semblé hésiter entre l'étonnement et l'irritation, et j'ai profité
de l'effet de surprise pour serrer ta main à la briser.
La crainte que les personnes assises à l'avant s'aper-
çoivent de quelque chose t'inquiétait manifestement. Est-ce pour cette raison et pour que je n'aille
pas plus loin que tu as répondu à ma pression ? Ce
fut à qui broierait la main de l'autre. J'y mettais
toute la passion que tu m'inspirais, mais toi qu'y
mettais-tu ? Devant l'impassibilité de tes traits qui
m'enflammait d'autant plus que j'ignorais ce qu'elle
cachait, je me suis demandé si nous livrions là, une

nouvelle fois, le combat sans merci entre la force de ton refus et celle de mon désir ou bien si tu acceptais d'être mon complice en entrant dans un jeu dont la charge érotique ne cherchait qu'à exploser.

*

De retour à l'hôtel, prévoyant que tu ne bougerais pas, j'ai pris l'initiative d'aller frapper à ta porte. Tu m'as accueillie en déplorant sur un ton tragi-comique et comme si tu ne pouvais plus faire autrement que te rendre à une évidence trop longtemps niée l'idée fatidique qui nous avait conduits là où nous nous étions rencontrés pour la première fois. Sous-entendais-tu que ce n'était pas seulement de mon amour que tu ne parvenais pas à te dégager mais aussi du tien ? Je me suis serrée contre toi, m'imprégnant de ta chaleur – infiniment douce –, me grisant de ton parfum – infiniment léger –, au bord de la défaillance... Il a fallu que tu te retranches derrière l'heure tardive et ta fatigue. Je ferai tout, tu ne feras rien, ai-je insisté. Mais tu as tenu bon, m'autorisant juste à te masser le dos et m'allonger quelques instants à tes côtés. Ce n'est qu'après le déjeuner du lendemain que tu vins t'étendre sur mon lit et me laissas faire sans me gratifier d'un seul mot ni d'un seul geste. Lequel de nous deux fut ou se crut alors le plus totalement soumis à l'autre ? Te posas-tu seulement la question ? L'ambiguïté extraordinaire de ton inertie – était-ce toi ou moi que tu réduisais de la sorte à l'état d'objet ? – troubla mon excitation d'une façon qui en modifia la nature, sans en diminuer l'intensité.

*

D'autres souvenirs, plus ou moins analogues, ponctuent ma rétrospective de cette période. Deux surtout. Le premier concerne un dîner avec un avocat que nous connaissions mal. J'étais restée longtemps sans te voir et ne prêtais qu'une oreille distraite à la conversation, tant m'insupportait la perspective de te quitter sans avoir rien échangé de mieux que les phrases et la poignée de main anodines qui étaient tout ce à quoi j'avais droit. Après m'être vainement creusé la tête pour sortir de l'impasse de ta distance et des foudres que la moindre approche de ma part risquait de m'attirer, j'eus soudain l'inspiration d'ôter mes escarpins.

Sentir le cuir de tes bottes sous mes pieds m'excita d'autant plus qu'à la crainte d'alerter notre interlocuteur, s'ajoutait celle que ta parfaite absence de réaction recèle de l'énervement ou de la colère, au lieu du trouble que j'espérais. Tu profitas d'ailleurs de mon premier relâchement pour bouger aussitôt tes jambes d'une façon qui m'empêchait de poursuivre mon manège, et ce fut au comble de l'inquiétude que je me demandai s'il fallait voir là l'échec cuisant de mon initiative ou ton légitime besoin d'inverser notre rapport de force. Jusqu'à ce que, sans me donner le plus petit signe de connivence, tu reprennes ta position initiale, me permettant ainsi d'enserrer à nouveau tes chevilles entre les miennes.

Quelques semaines plus tard, à l'occasion d'une timide récidive, tu me blessas doublement en t'esclaffant à propos de la mouche qui m'avait piquée lors de ce dîner que, grâce au doute de bon augure que ton silence avait laissé planer jusque-là, j'aimais me remémorer. L'insinuation, aggravée par ton hilarité, que mon geste n'avait été qu'une folie douce à sens unique, ridiculisait et niait non seulement la femme que j'espérais avoir été pour toi ce soir-là, mais aussi celle qu'à cet instant précis, je persistais bêtement à vouloir être encore. Mais je ne savais toujours pas si le manque de délicatesse avec laquelle tu me rembarrais était dicté par l'indifférence ou par la peur – la peur que cette femme-là mette en échec l'homme auquel elle faisait appel.

*

Le deuxième souvenir concerne une fin d'après-midi où, pressée de te quitter à cause de l'heure tardive, j'eus la surprise de me retrouver allongée contre toi sur le canapé où tu m'avais attirée pour m'embrasser. Tu prenais ton temps, faisais durer le plaisir, et il était si délicieux de fondre ainsi sous la douceur de tes baisers et de tes caresses, que je ne me souciai plus de mon retard. La longueur de prémices qui, depuis un moment déjà, m'avaient amenée au point de non-retour m'incita à prendre à ta place l'initiative de la suite et je crus presque à une plaisanterie, quand tu m'écartas pour me signifier la fin de l'entracte. C'était toi qui, pour la première fois depuis des semaines, ouvrais les vannes, et maintenant qu'en jaillissait un flot torrentiel, il fallait l'empêcher de couler ? Comment ? Au nom de quoi et à quel prix ? En un éclair, j'eus l'impression d'avoir affaire à un pervers qui s'amusait à vérifier l'étendue de son pouvoir pour l'unique raison que j'avais montré plus de hâte que d'habitude à le quitter. Ton sadisme ne méritait rien de mieux qu'une gifle et je te la donnai avec toute la force dont j'étais capable. L'expression étrange et indescriptible que tu eus alors m'effraya au point que, l'espace d'une seconde, je crus que tu devenais fou. Le premier choc passé, tu te justifias en évoquant des situations similaires où toi et ta partenaire vous en étiez tenus là, pour votre plus grande satisfaction mutuelle. Je ne voulais rien entendre sur les autres femmes, encore moins sur ce que tu avais fait avec, le flirt était bon pour les gamins et nous n'en étions plus à ce stade, criai-je en me bouchant les oreilles. Les larmes aux yeux, tu déclaras avoir vécu la tendresse que nous venions d'échanger comme un moment de vrai bonheur, et, pleurant à mon tour, je cachai ma tête dans ton cou pour balbutier le mal que me faisait la peur d'avoir gâché toutes mes chances d'un rapprochement futur avec toi. Mais tu me rassuras et tins d'ailleurs parole. Tu passerais la nuit suivante à te soûler avec un ami et ce serait bien plus tard, qu'associant cette scène à une remarque dont le sens m'avait échappé et que tu avais faite

autrefois sur ton manque de maîtrise, je me deman-
derais si un obstacle intérieur ne t'avait pas ôté ce
jour-là les moyens d'aller au bout de tes probables
intentions initiales.

*

Les difficultés auxquelles tu te heurtais dans tes
diverses activités te sapaient un moral déjà peu
porté au beau fixe. Lors d'une conversation téléphonique, ton défaitisme t'amena à tout dénigrer
en bloc, y compris notre relation. Si seulement
j'avais pu m'habituer à tes rejets, les relativiser, y
voir comme un effet cyclique et non définitif de tes
conflits intérieurs et de tes appréhensions... Mais je
plongeais autant chaque fois, et chaque fois me faisait encore plus mal que la précédente, car elle me
paraissait la dernière. Je pris mon ton le plus calme
pour t'informer que si tu pensais réellement ce que
tu venais de dire, je préférais cesser de te voir. Accu-
lée par ton mutisme, je raccrochai pour hurler mon
désespoir comme un chien hurle à la mort.

Tu rappelas au bout de cinq minutes. Tu tenais à
me faire savoir, disais-tu en pleurant, que ne plus

me voir serait bien pire que l'échec de tes projets de travail, ce serait la fin de tout. Pour moi aussi, la perspective de ne plus te voir était la pire qui soit, renchéris-je. J'avançai à nouveau que barrer la route à ses sentiments par peur de subir ou d'infliger la souffrance, non seulement n'arrange rien, mais fait passer à côté de sa vie et amène plus de souffrance encore. Puis je te lus le passage du livre de Saint-Exupéry sur l'apprivoisement du renard par le Petit Prince. Tes sanglots redoublèrent et quand je suggérai que le jour où tu partirais, quelle que soit ma peine, j'y gagnerais « à cause de la couleur du blé », à cause de la beauté de nos instants passés qui auréolerait à jamais les lieux qui en avaient été témoins, tu laissas entendre qu'il en irait de même pour toi.

*

Nous dûmes séjourner dans une ville où, plus jeune, tu avais partagé un certain temps la vie de quelqu'un. Dans quel but évoquas-tu un peu trop souvent, « ta » femme, vos jours heureux, ton intention de la contacter ? Je finis par en prendre ombrage et confessai que j'étais jalouse de toutes tes femmes passées et à venir. Je n'avais pas à en être jalouse, j'aurais eu de toi bien plus qu'elles n'avaient jamais eu et n'auraient jamais, remarquas-tu gravement. Cela ressemblait à une plaisanterie, mais il était clair que tu ne plaisantais pas.

Quelques heures avant d'attaquer un travail inhabituel, tu me convias à une sieste, destinée sans doute à calmer ton anxiété, et nous passâmes d'exquises minutes tendrement enlacés sur ton lit, jusqu'à ce que tu te plaignes du froid et me pries de m'allonger sur toi pour te réchauffer. Qui voulais-tu tenter ou tester ? Qui cherchais-tu ? Toi ou moi ? Que cherchais-tu ? Probablement, rien de plus hélas ! que ce que tu avais demandé. Mais nous n'étions plus des enfants, même si ton rejet de la femme qui menaçait de te faire faillir en tant qu'homme t'incitait à tout désexualiser entre nous. Tu emprisonnas mes mains dans les tiennes, et je restai paralysée, à mi-chemin entre le bonheur de mon état de désir et le malheur de son insatisfaction.

*

La veille du retour, je te demandai, une fois de plus, comme une faveur de m'accorder cinq minutes de tendresse avant d'aller te coucher, mais tu n'eus pas confiance en ma bonne foi et me les refusas. En entrant dans ma chambre le lendemain matin, tu vins t'asseoir près de moi et te mis à pleurer en silence. Sur qui, sur quoi pleurais-tu donc ? Sur l'impuissance physique qui résulte du manque ou de l'excès d'amour ? Sur autre chose ? Il ne fallait pas que je t'abandonne, pas encore, pas déjà, m'imploras-tu. Bouleversée, je te pris dans mes bras. Comment pourrais-je jamais t'abandonner ? Quelques semaines plus tard, c'est toi qui m'abandonnerais à nouveau.

*

Certains de tes projets commencèrent à se concrétiser et tu entras dans une phase d'activité intense. L'importance des enjeux te mit les nerfs à fleur de peau. Tu t'irritas à plusieurs reprises contre moi. Je pensais que tu avais besoin de cette forme de défoulement, qu'elle était même salutaire, et que l'attitude juste consistait à n'y pas réagir, mais je crus bon, à titre de leçon, de te renvoyer la balle un soir en présence d'un tiers. Cela te rendit fou. Je te revois gesticulant sous la lumière blafarde d'un réverbère. Emporté par l'indignation et la colère, tu refusais que je te ramène en voiture malgré la pluie et l'heure tardive. Mes phrases méprisantes venaient de casser ce à quoi je n'aurais jamais dû toucher. Car que valait la belle image dans laquelle tu ne te reconnaissais qu'en partie et que t'avait renvoyée mon amour jusque-là, si elle coexistait avec une autre qui la contredisait et te ressemblait encore moins ? Peut-être ne t'avais-je été précieuse qu'en tant que dépositaire de ce qu'il y avait – effectivement ou potentiellement – de mieux en toi. Maintenant que ce mieux s'était métamorphosé en pire – même et surtout fictif –, mon regard te devenait insupportable, et moi avec si j'avais d'abord valu par lui. Tu ne comprenais pas que je t'avais humilié sans penser un mot de ce que je disais, uniquement pour te rendre tes coups et dans le vague espoir que satisfaire ainsi ton masochisme aurait un retentissement positif sur notre relation personnelle. Mais moi je ne comprenais que trop qu'en utilisant des armes qui n'étaient pas les miennes, j'avais tué quelque chose ou quelqu'un – la moitié trop tendre de toi –, j'avais commis l'irréparable...

*

La perspective d'une contre-offensive de l'instinct de mort qui m'avait paru plus ou moins dominer ta personnalité comme ton existence jusque-là, et auquel ton retour à la vie active faisait perdre des points, m'inquiétait à plus d'un titre. Mais je ne prévus pas ce qui était si prévisible pourtant : que j'en ferais les frais, ni que je t'y aiderais. Car, dans l'ambivalence où tu continuais à te débattre vis-à-vis de tout en général et de moi en particulier, cette dernière scène entre nous renforça ton noyau défensif et fut, je crois, la goutte d'eau grâce à laquelle tu pus te dégager de notre relation et des dangers qu'elle te faisait courir.

*

De multiples signes avant-coureurs, dont l'espacement grandissant de nos rendez-vous, exacerbèrent mon inquiétude au point que je vins chez toi à l'improviste, afin de justifier mon attitude déplacée par l'état de manque où m'avait mise notre absence prolongée d'intimité. Me laisser aller à ce genre d'aveu revenait à te tendre l'arme pour m'abattre, mais mon état de malheur m'empêchait de tenir compte de cette évidence. Si je ne supportais pas de te voir avec d'autres personnes, déclaras-tu froidement, le problème était réglé, on arrêtait là, puisqu'il n'était désormais plus question de nous voir en tête-à-tête, que ce soit chez toi ou ailleurs… Frappée en plein cœur, je cherchai désespérément à rassembler les arguments les plus susceptibles de t'émouvoir, mais tu te mis à pianoter sur ton bureau en levant les yeux au ciel, comme si je récitais une litanie sans intérêt que, de surcroît, tu avais entendue un nombre incalculable de fois. Le sentiment d'être en train de mourir à tes pieds paralysait mon intellect au point de me faire oublier que ta seule défense contre la souffrance consistait à te couper de la partie trop perméable de toi-même et rester cet être de pierre qui s'apprêtait à m'achever.

Bien que ta dureté me fût toujours apparue, après coup, comme la conséquence et le signe même d'une sensibilité excessive que tu devais étouffer sous peine qu'elle ne t'étouffe, l'impression que tu me donnais dans ces moments-là d'être devenu un parfait étranger que rien ni personne n'atteignait plus, me terrifiait. Je te demandai lequel des deux extrêmes a priori incompatibles qui t'habitaient était vraiment toi. Il était temps que je me mette dans la tête que c'était la personne que j'avais sous les yeux qui était vraiment toi, tranchas-tu, l'autre n'existait hélas que dans mon imagination, je l'avais plus ou moins inventée et parée de tout ce qui m'arrangeait… Tant mieux au contraire, répliquai-je, si le vrai toi était celui qui me glaçait, il me serait plus facile de me détacher… Tu te mis alors à dénoncer la rigidité qui me faisait m'accrocher si obstinément, si ridiculement, à des rêves de midinette et à cette soupe du pauvre qu'avait constitué notre relation sur un certain plan, puis rejetas ma prière de m'asseoir à côté de toi, sous le prétexte imparable que tu ne voyais pas l'intérêt de répondre à ce genre de besoin quand il n'est pas partagé. Comment pouvait-on parler de soupe du pauvre, murmurai-je, dès lors que le moindre moment avec l'être qu'on aime est sans prix ? Un tel moment ne vaut rien sans réciprocité, t'entendis-je riposter. Je hasardai que l'amour a besoin de présence et d'échange, davantage encore que d'une réciprocité toujours illusoire, mais, manifestement agacé par le tour que prenaient mes propos, tu y coupas court en m'accusant sèchement de confondre amour et déchéance. Tout était dit. Il allait falloir me lever, partir, retourner à une vie plus mortelle que la mort... Je titubai vers la porte et tu me laissas sortir de ton existence avec ce que je perçus comme un mélange d'indifférence et de soulagement.

10

Quelques points lumineux dans ma nuit...

*

Après avoir fait semblant d'approuver ta décision
de rupture, semblant de m'en trouver, finalement et
contre toute attente, plutôt bien, toi confessant un
peu plus tard au téléphone que tu n'avais jamais été
aussi mal et, sans tenir compte le moins du monde
de mes fanfaronnades, demandant s'il n'en allait
pas de même pour moi...

*

Toi sur cette plage bondée où je n'ai jamais
autant vécu l'expression «les amoureux sont seuls
au monde». – Oui, je sais, tu n'étais pas amoureux,

nous ne l'étions pas… – Ta tête sur mes genoux, tes paupières closes, mes doigts massant ta nuque, la permission de te toucher enfin, ton premier abandon depuis notre rupture – un abandon rendu possible par les conditions de la plage qui empêchent d'aller trop loin – et cette abolition subite et totale du temps, de la pensée, du manque, du malheur…

*

Une dizaine de jours plus tard, prenant la perche que je tendais, pour exprimer spontanément tes regrets de cet instant de grâce…

*

La soirée où tu me présentas une jeune femme avec qui tu étais susceptible de travailler. Elle avait tout ce que je n'ai pas, tu as tout ce dont rêvent de nombreuses femmes… Le cauchemar… À des signes infimes qui n'étaient peut-être que le fruit de mon besoin vital d'illusion, j'ai cru sentir que tu comprenais mon désarroi et ne savais comment me dire autrement qu'avec les mots qui t'auraient trahi, qu'il n'était pas fondé…

*

Et toutes ces fois où les mêmes signes infimes
– réels ou imaginaires ? – me donnaient l'impression que, malgré toi, malgré moi, continuait de
circuler entre nous ce courant chargé d'amour, de
désir, de refus, de frustration, dont nous connaissons désormais encore mieux la musique, n'est-ce
pas ?

*

Le reste du temps, la nuit noire. Cette béance
dans le plexus dont l'énergie s'échappe comme le
sang d'une plaie mortelle, chaque fois que je te
dépose devant la porte qui accueille ta solitude et
me renvoie à la mienne... Chaque fois que tu
marques une distance de plus. Quand, par exemple,
tu éteins d'un mot ou d'un geste la lueur qu'un
autre mot, un autre geste avaient fait jaillir. Quand
ton attitude n'est plus empreinte de la moindre
ambiguïté inconsciente. Quand tu te comportes
comme on se comporte quand on n'aime pas... Ou
chaque fois que surgit devant nous l'une de ces

femmes attirantes, dont le regard aussi troublé que troublant laisse penser qu'il suffirait que tu lèves le petit doigt… Et que je coule à pic avec l'air de rien… Quand vas-tu le lever, mettre fin à mon sursis, procéder à mon exécution ? Tout de suite, demain, plus tard ? Quand ? Ma peine sera capitale… Elle l'est déjà, elle l'a toujours été…

*

L'autre jour, tu m'as attirée doucement contre toi… C'était si simple, si beau, si plein… Mais je suis de celles qui croient qu'il n'y a pas d'amour heureux, alors, forcément, tu es de ceux qui fuient le bonheur de peur qu'il ne se sauve… Ne te sauve ? Dès le lendemain, je me briserais à nouveau contre le mur que tu te serais empressé de rétablir entre nous…

DU MÊME AUTEUR

LE GRAND LIVRE DE LA VIERGE, avec Béatrice Guénin, Éditions Tchou, coll. « Les grands livres du zodiaque », 1979.

ENTRE LES LIGNES, ENTRE LES SIGNES, avec Anne-Marie Simond, RMC éditions, 1986.

LES RYTHMES DU ZODIAQUE, Le Cherche-midi, 2003.

LE DÉSESPOIR DES SINGES ET AUTRES BAGATELLES, Robert Laffont, 2008.

Composition IGS-CP
Impression CPI Bussière en décembre 2012
à Saint-Amand-Montrond (Cher)
Éditions Albin Michel
22, rue Huyghens, 75014 Paris
www.albin-michel.fr

ISBN : 978-2-226-24431-4
N° d'édition : 20450/06. – N° d'impression : 124413/4.
Dépôt légal : novembre 2012.
Imprimé en France.